LYRIK DES JUGENDSTILS

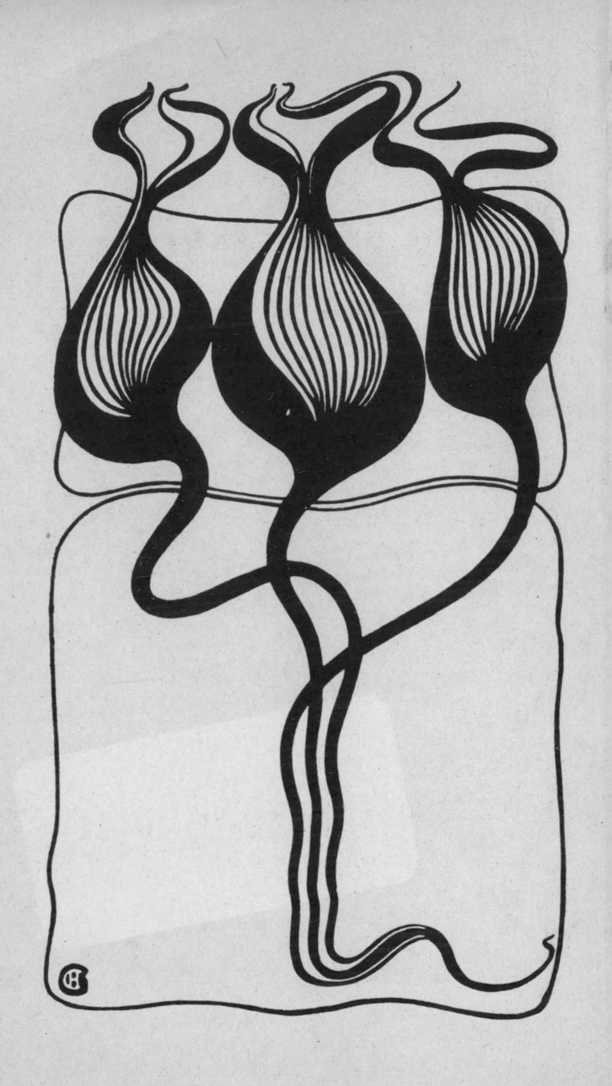

LYRIK DES JUGENDSTILS

EINE ANTHOLOGIE

MIT EINEM NACHWORT
HERAUSGEGEBEN VON
JOST HERMAND

PHILIPP RECLAM JUN. STUTTGART

Die als Frontispiz abgebildete „Buch-Verzierung“ von Hans Christiansen stammt aus der Zeitschrift *Deutsche Kunst und Dekoration* (1898).

Universal-Bibliothek Nr. 8928

Bibliographisch ergänzte Ausgabe 1977. Satz: Walter Rost, Stuttgart
Druck und Bindung: Reclam, Ditzingen. Printed in Germany 1982
ISBN 3-15-008928-X

OTTO JULIUS BIERBAUM

Der lustige Ehemann

Ringelringelrosenkranz,
Ich tanz mit meiner Frau,
Wir tanzen um den Rosenbusch,
Klingklanggloribusch,
Ich dreh mich wie ein Pfau.

Zwar hab ich kein so schönes Rad,
Doch bin ich sehr verliebt
Und springe wie ein Firlefink,
Dieweil es gar kein lieber Ding
Als wie die Meine gibt.

Die Welt, die ist da draußen wo,
Mag auf den Kopf sie stehn!
Sie intressiert uns gar nicht sehr,
Und wenn sie nicht vorhanden wär'
Würd's auch noch weiter gehn:

Ringelringelrosenkranz,
Ich tanz mit meiner Frau,
Wir tanzen um den Rosenbusch,
Klingklanggloribusch,
Ich dreh mich wie ein Pfau.

ALFRED WALTER HEYMEL

Auf eine Serpentinetänzerin

Muse tanzt im Kreis herum,
 Daß die Wangen glühen.
Tanzt die dummen Sorgen um,
 Daß sie heulend fliehen.

Schleierkleid und goldne Schuh,
 Seidenwellen fließen.
Farbenstrudel immerzu,
 Grellstes Lichtergießen.

Tänzerin mit schlankem Leib –
 Brüste zum Entzücken –
Komm, und laß als nacktes Weib
 Fest dich an mich drücken.

Tanzen wir im Kreis herum,
 Daß die Wangen glühen.
Tanzen alle Sorgen um,
 Daß sie heulend fliehen!

LUDWIG FINCKH

Gefangen

Ich hab einmal ein Lied vernommen,
Leise klingklarei,
Es ist aus einem Mund gekommen,
Aus einem roten, jungen, frommen,
Leise klingklarei.

Der Mund war frisch und ungelehrt,
Leise klingklarei,

Er hat wohl einem Kind gehört,
Das hat mich ach so süß betört,
Leise klingklarei.

Ich flog um seine frohen Wangen,
Leise klingklarei, –
Und war noch nicht viel Zeit vergangen,
Da war ich alter Tropf gefangen,
Leise klingklarei.

OTTO JULIUS BIERBAUM

Zu Flöten und Geigen
Hin tanz ich im Reigen,
Habe Blumen im Haar.
O laßt euch bewegen,
Ihr Trüben und Trägen,
Im Tanze ist Segen,
Die Freude macht klar.

Auf, wagt es, zu springen!
Es muß euch gelingen,
Was fröhlich ihr schafft.
Das grämliche Hocken
Bringt alles ins Stocken.
Frei wehn meine Locken,
Die Freude macht Kraft.

ALFRED WALTER HEYMEL

Auf eine Excentrictänzerin

Tidlidei! Tidlidei!
Ei, verfluchte Hopserei!
Ei, verfluchter Niggertanz,
Der du mich verwirrest ganz;
Ei, verfluchter Tanz der Miss,
Der die Ruhe mir zerriß!
Tidlidei! Tidlidei!
Tidli- Tidli- Tidlidei!

Tidlidei! Tidlidei!
Ei, verfluchte Melodei!
Muß dich immerfort nun singen,
Muß nach deinen Takten springen,
Springen, tanzen, hopsen, drehn,
Kann nun nimmer stille stehn.
Tidlidei! Tidlidei!
Tidli- Tidli- Tidlidei!

Tidlidei! Tidlidei!
Ei, verfluchte Singerei!
Muß nun immer an dich denken,
Mich in ihren Tanz versenken. –
Sei verflucht Excentric-Miss!
Still, mein Herz, vergiß, vergiß!
Tidlidei! Tidlidei!
Tidli- Tidli- Tidlidei!

LUDWIG FINCKH

Links und rechts und Wende

Ihr Faltermädchen, wohin, wohin?
Hinterm Wald ist die Welt zu Ende.
Wir wollen spielen und flatterhaft sein
Und tanzen einen lieben Reihn –
Links und rechts und Wende.

Du Braune mit dem weißen Streif,
So komm mit mir in die Halme.
Hast einen Sammetmantel an,
Wie man ihn selten sehen kann –
Husch – aus dem Blütenqualme!

Und du, schön schwarzes Lieselchen
Mit deinem jungschlanken Leibe,
Du trägst einen Seiderock von Grün,
Aus welchem Pluderhöschen blühn –
Husch – und unter die schattige Eibe!

Die Welt ist voll von Gold und Licht
Und voll von Sonnenblende –
Wir wollen spielen und flatterhaft sein
Und tanzen einen lieben Reihn –
Links und rechts und Wende.

OTTO JULIUS BIERBAUM

Tanzlied

Es ist ein Reihen geschlungen,
Ein Reihen auf dem grünen Plan,
Und ist ein Lied gesungen,

Das hebt mit Sehnen an,
Mit Sehnen, also süße,
Daß Weinen sich mit Lachen paart:
Hebt, hebt im Tanz die Füße
Auf lenzeliche Art.

JAMES GRUN

Minneleide ruft, sie ladet zur Lust,
sie ladet zu brünstigem Reigen,
zu schwebenden Kreisen,
Brust gegen Brust,
zum Küssen, zum Küssen
und seligem Schweigen,
lachend Erglühn
und Haschen und Fliehn.

THEODOR ETZEL

Salome

Tanz vor mir Kind! – da über die Felle.
Ich will es nicht hören – will es nur sehn,
wie vor den Augen mir Welle auf Welle
an Formen und Farben vorübergehn. –
Tanz vor mir! –
Hei!
beugen sich Linien, schmelzen und schwellen –
recken sich –
strecken sich –
reißen entzwei –

fassen sich –
küssen sich –
lassen sich –
hei!
Laß nur den Flor!
laß ihn nur fliegen
über die flatternden Haare empor.
Von deinem Nacken
bis unter die Lenden
wollen die rasenden Kreise sich packen –
biegen sich –
wiegen sich –
ohne zu enden –

RICHARD DEHMEL

Der Frühlingskasper

Weil nun wieder Frühling ist,
Leute,
streu ich butterblumengelber Kasper
lachend
lauter lilablaue Asternblüten
hei ins helle Feld!

Lilablaue Astern, liebe Leute,
Astern
blühn im deutschen Vaterland bekanntlich
bloß im Herbst.

Aber Ich, ich butterblumengelber Kasper,
streue,
weil nun wieder heller Frühling ist,
tanzend
tausend dunkelblaue Asternblüten
hei in alle Welt!

EMIL ALFRED HERRMANN

Liebe kleine Melodie

Ein kleines blondes Mädchen, das Blumen pflückt
auf einer grünen Wiese ...
Ein kleines blondes Mädchen in milchweißem Kleidchen;
wilde Ringellocken und feuerrot Hütchen –
Ein kleines blondes Mädchen, das Blumen pflückt
auf einer grünen Wiese ...

Ein kleines blondes Mädchen mit Pausbacken,
Großguckaugen und Stumpfnäschen –
Ein kleines blondes Mädchen, das Blumen pflückt
auf einer grünen Wiese ...

Auf einer grünen Wiese im Sonnenschein,
wo die Gänse watscheln;
am Erlenbach –
Ein kleines blondes Mädchen, das Blumen pflückt
auf einer grünen Wiese ...

Blaue Blumen, weiße Blumen,
gelbe, rote Blüheblumen –
Ein kleines blondes Mädchen, das Blumen pflückt
auf einer grünen Wiese ...

RICHARD DEHMEL

Entbietung

Schmück dir das Haar mit wildem Mohn,
die Nacht ist da,
all ihre Sterne glühen schon.
All ihre Sterne glühn heut Dir!
du weißt es ja:
all ihre Sterne glühn in mir!

Dein Haar ist schwarz, dein Haar ist wild
und knistert unter meiner Glut;
und wenn die schwillt,
jagt sie mit Macht
die roten Blüten und dein Blut
hoch in die höchste Mitternacht.

In deinen Augen glimmt ein Licht,
so grau in grün,
wie dort die Nacht den Stern umflicht.
Wann kommst du?! – Meine Fackeln loh'n!
laß glühn, laß glühn!
schmück mir dein Haar mit wildem Mohn!

ALFRED WALTER HEYMEL

Das Liebesschloß

Der Gott der Liebesraserei,
Der hat ein schönes Schloß.

Drin sind von Spiegeln Säle drei:
Komm! Sei mein Tanzgenoß.

Wir sitzen in dem ersten Saal
An einem goldnen Tisch.
Drauf steht ein duftend Liebesmahl,
Wein, Früchte, Fleisch und Fisch.

Wir drehn uns durch den zweiten Saal;
Der strahlt in rotem Glanz.
Wir sehn uns tanzen tausendmal
Den heißen Liebestanz.

Wir küssen uns im letzten Saal;
Der ist so kissenweich.
Dort thront die süße Liebesqual;
Den Göttern sind wir gleich.

Der Gott der Liebesraserei,
Der hat ein schönes Schloß.
Drin sind von Spiegeln Säle drei:
Komm, sei mein Tanzgenoß!

LUDWIG JACOBOWSKI

Lebenslust

Tanzend zwischen Leben, Sterben
Schwankt der Tage tolle Reihe,
Wenn die Blätter heut sich färben,
Morgen grünen sie aufs neue.

Wieviel Hoffen schrie vergebens!
Wieviel Träumen früh geendigt!
Dennoch braust die Kraft des Lebens
Ungebärdig, ungebändigt!

CHRISTIAN MORGENSTERN

Ewige Frühlingsbotschaft

Sieh mit weißen Armen, schwellenden Brüsten,
purpurnen Lippen, blitzenden Augen dort
der jungen Weiber hold erregte Reigen
aus den immergrünen Toren der Jugend,
gleich aus brechenden Körben rollenden Früchten,
quellen – strömen – – sich ergießen – – –
des Lebens unversiegliche Bürgschaft selber.

Und du stürzest nieder in deiner Kraft,
und besiegt vom Zauber unendlicher Anmut,
lässest du willenlos dich mit Rosenbanden
fesseln, und durch den zierlichen Fuß der Erwählten
küssest und wirkst du mit neuen Gelöbnissen dich
an den gütigen Schoß deiner ewigen Mutter.

Aus den immergrünen Toren der Jugend
wiegen jungfräuliche Reigen sich
in die grauen Gefilde der Welt.
Und es zittert die keusche Myrte,
und unruhig atmet die Rose,
wenn im hohen Äthergewölbe
die Kerzen der Nacht aufflammen.

ERNST STADLER

Der Zug ins Leben

Und einmal dann: In einer Sommersternennacht ·
wenn alles Leben wie gelöst
  in sammetweiche Schwermut liegt
und überm Forst noch der sprühende Goldschein hängt

zitternd wie blaß aufglimmernde Gewebe
und zart wie Flaum: Dann wird ein langer Ruf
aus Traum und Schlummer ladend uns erlösen.

Dann ziehen wir · indes der Feuerschein
sich dichter um uns schließt · in dunklen Haufen ·
die Stirn mit Laub gegürtet über Schollen
sprossender Äcker in das sinkende Licht.

Uns reißt des wilden Lebens jähe süße
betörend lockende Zigeunerweise
in Nacht und Duft. Schon glänzt aus letzter Glut ·
die über der erloschnen Haide funkelt ·
das große Ziel. Schon schlingen sich die Reihn
vom Takt gefügt. Schon stürmen jauchzend
die Vordersten in losgelassnem Tanz ·
und eine Kette wirrer heißer Stimmen wälzt
der Jubel schwer sich durch die Massen. Fackeln spritzen
flackernde Flecken auf die schwarze Wand der Äste.
Auftaumelnd stürzen Schatten. Mädchen schwenken
flitternde Birkenbüschel · Frauen lösen
die raschelnden Gewande · tanzen nackt
vom Diadem der Haare überströmt
ins Licht · und ihre heißen Augen schillern
unstät wie Feuerglanz auf Abendlachen.
Und wilder gleißt das tolle süße Lied.
Und wilder rast und stürmt der heiße Tanz.
Und Wunder steigen auf wie Herbstnachtnebel.
Schon rollt das große Leben wie ein Meer ·
das gischtend gegen nackte Felsen bäumt ·
von bräunlich goldner Dämmerung umloht.
Schon reißt's uns über schaumgezackte Kämme
zu Inseln · weiß mit Goldglanz übersprengt ·
Altäre wachsen blendend aus Girlanden ·
Festglocken dröhnen · Farben schießen auf ·
und trunken · betend sinken wir ins Licht.

OTTO JULIUS BIERBAUM

Faunsflötenlied

Ich glaube an den großen Pan,
Den heiter heiligen Werdegeist;
Sein Herzschlag ist der Weltentakt,
In dem die Sonnenfülle kreist.

Es wird und stirbt und stirbt und wird;
Kein Ende und kein Anbeginn.
Sing, Flöte, dein Gebet der Lust!
Das ist des Lebens heiliger Sinn.

GEORG TRAKL

Leuchtende Stunde

Fern am Hügel Flötenklang.
Faune lauern an den Sümpfen,
Wo versteckt in Rohr und Tang
Träge ruhn die schlanken Nymphen.

In des Weihers Spiegelglas
Goldne Falter sich verzücken,
Leise regt im samtnen Gras
Sich ein Tier mit zweien Rücken.

Schluchzend haucht im Birkenhain
Orpheus' zartes Liebeslallen,

Sanft und scherzend stimmen ein
In sein Lied die Nachtigallen.

Phöbus eine Flamme glüht
Noch an Aphroditens Munde,
Und von Ambraduft durchsprüht –
Rötet dunkel sich die Stunde.

GEORG HEYM

Herbst

Die Faune treten aus den Wäldern alle,
Des Herbstes Chor. Ein ungeheurer Kranz.
Die Hände haltend, springen sie zum Schalle
Der Widderhörner froh zu Tal im Tanz.

Der Lenden Felle schüttern von dem Sturze,
Die weiß und schwarz wie Ziegenvließ gefleckt.
Der starke Nacken stößt empor das kurze
Gehörn, das sich aus rotem Weinlaub streckt.

Die Hufe schallen, die vom Horne starken.
Den Thyrsus haun sie auf die Felsen laut.
Der Paian tönt in die besonnten Marken,
Der Brustkorb bläht mit zottig schwarzer Haut.

Des Waldes Tiere fliehen vor dem Lärme
In Scharen flüchtig her und langem Sprung.
Um ihre Stirnen fliegen Falterschwärme,
Berauscht von ihrer Kränze Duft und Trunk.

Sie nahn dem Bache, der von Schilf umzogen
Durch Wiesen rauscht. Das Röhricht läßt sie ein.

Sie springen mit den Hufen in die Wogen
Und baden sich vom Schlamm der Wälder rein.

Das Schilfrohr tönt vom Munde der Dryaden,
Die auf den Weiden wohnen im Geäst.
Sie schaun herauf. Ihr Rücken glänzt vom Baden
Wie Leder braun und wie von Öl genäßt.

Sie brüllen wild und langen nach den Zweigen.
Ihr Glied treibt auf, von ihrer Gier geschwellt.
Die Elfen fliegen fort, wo noch das Schweigen
Des Mittagstraums auf goldnen Höhen hält.

LUDWIG JACOBOWSKI

Waldestraum

Die Sonne breitet ihren Segen
Wie einen goldnen Teppich aus.
Waldmeister duftet an den Wegen
Und Rotdorn streut die Blüten aus.

Nur Sonnenglanz und Himmelbläue
Durchflirrt das kühle Blätterdach.
Der Wanderfalk mit hellem Schreie
Hält mich auf weichem Moose wach.

Nun er verstummt ist in der Schwüle,
Träum ich verschlafen vor mich hin,
Und träume, daß im duftigen Pfühle
Ich selber Halm und Blüte bin.

ALFRED MOMBERT

Wir Zwei,
sitzen im weißen Birkenwäldchen
in blühenden Sträuchern.
Ich denke: Sie ist ein Weib.
Du denkst: Er ist ein Mann.
Wie weit!
Und immer weiter geht es auseinander.

*

Plötzlich
führt die schaffende Natur
ehern uns zusammen.

*

Blüten, Blüten uns zu Füßen.
Wir sitzen stumm grübelnd.
Blüten. Blüten.
Wir nehmen sie tränend in zitternde Hände.
Blüten, zarte duftende Seelchen.

ERNST HARDT

Auf schwarzem Wasser blüht der Mond,
Sein Duft durchströmt die Nacht,
Dunkle langgestreckte Wolken
Lagern stumm am Himmelsrande.

Mein Kopf auf weichen Kräutern ruht
Und träumt ins All hinauf,
Zwei Zypressen rauschen, flüstern,
Und ich lausche mit dem Herzen.

Vom Wasser weht ein kleiner Wind,
So lau und schleierleicht,
Müde [illegible] ich meine Augen,
[illegible] und lausche, träume.

Steh dann auf und geh zum Meere,
Schöpfe mit gekrümmter Hand,
Lasse lichtdurchglänztes Wasser
Lächelnd – langsam durch die Finger gleiten.

STEFAN GEORGE

Entführung

Zieh mit mir geliebtes kind
In die wälder ferner kunde
Und behalt als angebind
Nur mein lied in deinem munde.

Baden wir im sanften blau
Der mit duft umhüllten grenzen:
Werden unsre leiber glänzen
Klarer scheinen als der tau.

In der luft sich silbern fein
Fäden uns zu schleiern spinnen ·
Auf dem rasen bleichen linnen
Zart wie schnee und sternenschein.

Unter bäumen um den see
Schweben wir vereint uns freuend ·
Sachte singend · blumen streuend ·
Weisse nelken weissen klee.

ARNO HOLZ

Hinter blühenden Apfelbaumzweigen
steigt der Mond auf.

Zarte Ranken,
blasse Schatten
zackt sein Schimmer in den Kies.

Lautlos fliegt ein Falter.

Ich strecke mich selig ins silberne Gras
und liege da
das Herz im Himmel!

ERNST STADLER

Erfüllung

Im Dämmer glommen die gemalten Wände.
Ich sah dich an · vom großen Schweigen trunken:
Und bebend fühlt ich deine weichen Hände ·
und stammelnd sind wir uns ans Herz gesunken.

Wie Kinder · die in weißen Frühlingskleidern
hinlaufen durch die knospenhellen Hecken
und zwischen Büscheln lichtumschäumter Weiden
und braunen Halmen spielend sich verstecken ·

in Baches Silber wundernd sich beschauen
und jubelnd folgen bunter Falter Glänzen
und Knospen brechen von besternten Auen
und singend sich mit Blütenkronen kränzen ·

bis glühend sie · in seligem Ermatten ·
zur Quelle steigen · leichten Spiels vergessen ·
und zitternd unter schwanker Birken Schatten
die zarten Lippen ineinander pressen.

RICHARD DEHMEL

Und es sprudelt ein Wasser durch tiefen, tiefen Tann;
da sitzt ein nacktes Weib, das Kränze flicht,
Kränze um einen glitzernden Mann.
Der singsangt:

Vor der Nixe vom Rhein kniet der Kobold vom Rhin
und bringt schön bang seine Brautschätze dar:
blaue Blumen, die nur im Freien blühn,
Männertreu, Pferdefuß, Jungfer im Grün,
und zur Hochzeit ein stumm Musikantenpaar:
Unke, die munkelt nur,
Glühwurm karfunkelt nur:
Ellewelline, husch, tanze danach!
Ein Herr Eidechs hatte einmal zwei Frauen,
denen er sehr am Herzen lag:
eine, der gab er sein tiefstes Vertrauen,
darauf lief er der andern nach.
Ellewelline, tanz Serpentine:
schwarz ist die Nacht, und bunt ist der Tag!

Und der Kuckuk ruft, und der Bergquell sprudelt;
und das dunkle Weib bekränzt ihr schwarz Haar.
Und sie summt – und das Licht in der Welle strudelt
kühl und warm, wirr und klar –:

Ellewelline tanzt Serpentine ...

HEINRICH VOGELER

Bleichschimmernder Stern aus weitem Reich
Wiegt golden sich spiegelnd im dämmrigen Teich
Die Luft ist warm und von Blütenduft trunken.

Im steilen Gras, in Blumen versunken,
Ruhn still zwei Menschen Hand in Hand
Und träumen von einem Wunderland.
Die Nachtigall singt das Hochzeitslied,
Ein Falter von Blume zu Blume zieht,
Glühwürmchen leuchten zu Füßen, –
Die Blumen nicken und grüßen.

STEFAN GEORGE

Es lacht in dem steigenden jahr dir
Der duft aus dem garten noch leis.
Flicht in dem flatternden haar dir
Eppich und ehrenpreis.

Die wehende saat ist wie gold noch ·
Vielleicht nicht so hoch mehr und reich ·
Rosen begrüssen dich hold noch ·
Ward auch ihr glanz etwas bleich.

Verschweigen wir was uns verwehrt ist ·
Geloben wir glücklich zu sein ·
Wenn auch nicht mehr uns beschert ist
Als noch ein rundgang zu zwein.

JULIUS HART

Der Frühling glüht durch alle Lüfte,
die Wolke blitzt von weißem Licht,
herniederströmt ein Feuersamen,
der aus dem Leib der Sonne bricht.
Geöffnet ist der Schoß der Erde,
nackt liegt sie noch in welkem Struth,
und liebesschauernd dehnt sie zitternd
sich in der neuen jungen Glut . . .

CHRISTIAN MORGENSTERN

Frühling

Wie ein Geliebter seines Mädchens Kopf,
den süßen Kopf mit seiner Welt von Glück,
in seine beiden armen Hände nimmt,
so faß ich deinen Frühlingskopf, Natur,
dein überschwenglich holdes Maienhaupt,
in meine armen, schlichten Menschenhände,
und, tief erregt, versink ich stumm in dich,
indes du lächelnd mir ins Auge schaust,
und stammle leis dir das Bekenntnis zu:
Vor so viel Schönheit schweigt mein tiefstes Lied.

OTTO JULIUS BIERBAUM

Gebet zwischen blühenden Kastanien

Frühling, o du süßer Junge!
Deine Beine sind so zärtlich
Schlank und Deine schmalen Lippen
Feucht.

Wie du schreitest! Wie die Locken fliegen
Und das blaue Band im blonden Haare!
Wie es duftet, wo Dein Mantel wehte!

Frühling, süßer, saftgebenedeiter
Sieger-Knabe mit den Mädchenbrüsten,
Hauch mich an mit Deinem Blumenatem,
Der ich Dich jetzt tiefer kenn und liebe,
Deiner Brünste voller bin als ehmals.

Neig Dich mir, o süßer Knabe, süßres
Mädchen! Ich vergehe sonst vor Sehnsucht,
Dich zu fühlen.

FRIEDRICH PERZYNSKI

An den Frühling

Kaum siebzehnjährig ist er. In die Haare,
die dunkelblonden, hat ihm irgendwer
von Anemonen und von wilden Veilchen
ganz lose einen schmalen Kranz geflochten.
Der steht ihm schön und mildert mir sein Lächeln,
das ernste Lächeln eines reifen Knaben,
der von dem Leben schon zu viel erfuhr.
Die Augen liegen tief, mit leichten Schatten

darunter, und der innerliche Blick,
von einem dunklen Blau, das häufig wechselt,
ist keusch und trotzig, von demselben Ernst,
mit dem die roten Lippen lächeln können.
Sein Angesicht, das ich wohl oft im Traume
gesehen habe, ist von herber Schönheit
und unvergeßlich. Älter scheint's zu sein
als dieser Leib, der zart und mager ist,
von feinstem Gelb und kindlich anzuschauen ...

. . . .

Er steht und sieht mich lange lächelnd an.
Bist Du der Frühling, Knabe? will ich leis
ihn fragen und ihm meine Hände reichen;
doch meine starre Zunge löst sich nicht.
Ich fühle, wie der herbe Wohlgeruch
des jungen Leibes näher mich umfächelt,
sein Atem über meinen Haaren geht ...

JULIUS HART

Ein neuer Frühling geht durch alle Lande,
durch unsre Seelen flutet junge Kraft,
du steig empor, des Geistes Priesterschaft,
geschmückt mit neuem Feiertagsgewande!
Wer solches Kleid trägt, den kann's nimmer dürsten
nach Trug und Glanz und lügnerischem Schein,
kostbarer dünkt es uns als eines Fürsten
purpurner Mantel, blitzend von Gold und Stein ...
Hin schreiten wir, erhabener Zukunft näher,
auf Bergeshöhen, von Morgenglut umhüllt,
der Menschheit vorgesandte Seher, –
und da wir's schauen, ist's auch schon erfüllt.

RICHARD DEHMEL

Tanzlied

Ich warf eine Rose ins Meer,
eine blühende Rose ins grüne Meer.
Und weil die Sonne schien, Sonne schien,
sprang das Licht hinterher,
mit hundert zitternden Zehen hinterher.
Als die erste Welle kam,
wollte die Rose, meine Rose ertrinken.
Als die zweite sie sanft auf ihre Schultern nahm,
mußte das Licht, das Licht ihr zu Füßen sinken.
Da faßte die dritte sie am Saum,
und das Licht sprang hoch, zitternd hoch, wie zur
Wehr;
aber hundert tanzende Blütenblätter
wiegten sich rot, rot, rot um mich her,
und es tanzte mein Boot,
und mein Schatten auf dem Schaum,
und das grüne Meer, das Meer – –

WILHELM WEIGAND

Vormittag

Löwenmäuler speien Kühle
In ein überströmend Becken,
Und in dunkeln Lorbeerhecken
Webt der Dufthauch erster Schwüle.

Leuchtend auf dem Grund, dem blauen,
Seh ich durch des Gitters Ranken
Lilienkelche leise schwanken –
Ferne gellt Geschrei der Pfauen. –

LUDWIG JACOBOWSKI

Das sind die keuschesten Rosen ...

Das sind die keuschesten Rosen,
Die nie gebrochen,
Die durstigsten Lippen,
Die nie vereint,
Die höchsten Wonnen,
Die ungesprochen,
Die tiefsten Tränen,
Die nie geweint.

RICHARD DEHMEL

Narzissen

Weißt du noch, wie weiß, wie bleich
in den Maiendämmerungen,
wenn ich lag, von dir umschlungen,
dir zu Füßen hingerissen,
um uns schwankten die Narzissen?

Weißt du noch, wie heiß, wie weich
in den blauen Juninächten,
wenn wir, müde von den Küssen,
um uns flochten deine Flechten,
Düfte hauchten die Narzissen?

Wieder leuchten dir zu Füßen,
wenn die Dämmerungen sinken,
wenn die blauen Nächte blinken,
wieder duften die Narzissen.
Weißt du noch, wie heiß? wie bleich?

EDUARD STUCKEN

Lotos

Es knospte empor aus Urnebelnacht, erglühte –
das Sternenall ward: die strahlende Lotosblüte.

Auch auf dem Altar im innersten Heiligtume
der Menschenbrust wuchs die Seele, die rote Blume.

Sie wuchs, bis ihr Kelch im All auseinanderklaffte:
die Sonnenwelt bist du, Seele, du knospenhafte.

RICHARD DEHMEL

Stromüber

Der Abend war so dunkelschwer,
und schwer durchs Dunkel schnitt der Kahn;
die Andern lachten um uns her,
als fühlten sie den Frühling nahn.

Der weite Strom lag stumm und fahl,
am Ufer floß ein schwankend Licht,
die Weiden standen starr und kahl.
Ich aber sah dir ins Gesicht

und fühlte deinen Atem flehn
und deine Augen nach mir schrein
und – eine Andre vor mir stehn
und heiß aufschluchzen: Ich bin dein!

Das Licht erglänzte nah und mild;
im grauen Wasser, schwarz, verschwand
der starren Weiden zitternd Bild.
Und knirschend stieß der Kahn ans Land.

WILHELM WEIGAND

Über purpurgelben Bäumen
Bleicht des Abends Rosenglut.
Deine weißen Hände säumen,
Hände träumen
In des Weihers blaue Flut.

Über bleicher Tasten Helle
Zögernd jüngst ihr Schimmer ging,
Und er lief wie eine schnelle
Schimmerwelle,
Wie auf Wassern Ring um Ring.

Und ein fliegendes Erröten
Hauchte durch den Himmelsraum,
Und von süßer Not und Nöten,
Duft und Flöten,
Blich im Tau mein Morgentraum.

STEFAN GEORGE

Umkreisen wir den stillen teich
In den die wasserwege münden!
Du suchst mich heiter zu ergründen ·
Ein wind umweht uns frühlings-weich.

Die blätter die den boden gilben
Verbreiten neuen wohlgeruch ·
Du sprichst mir nach in klugen silben
Was mich erfreut im bunten buch.

Doch weisst du auch vom tiefen glücke
Und schätzest du die stumme träne?
Das auge schattend auf der brücke
Verfolgest du den zug der schwäne.

ERNST STADLER

Der Teich

Der stille Teich von dunklem Schilf umflüstert
und alten überwachsnen Stämmen · die seltsam rauschen ·
erglüht im sinkenden Abend. Leise flirrt
sein tiefer brauner Kelch im Nachtwind und umspült
der schlanken Gondel goldgezierten Bug ·
die schwer mit Tang und trüber Flut gefüllt
auf weichen Ufermoosen schaukelt · wo
der schmale Kiesweg grün umwuchert
in fernes Dunkel taucht. Verschlafen gleiten
im Wellenrieseln weiße Wasserrosen
an dünnen schwanken Stengeln hin und strahlen
in blassem Feuer groß aus braunen Schatten · die
von breiten Buchenkronen sinken · und
der satte Abendhimmel überströmt
von Purpurwolken flimmert durchs Gewirr
der Äste schwer und brennend wie ein Schacht
mit funkelnden Juwelen übersät.

GEORG TRAKL

In einem alten Garten

Resedaduft verschwebt im braunen Grün,
Geflimmer schauert auf den schönen Weiher,
Die Weiden stehn gehüllt in weiße Schleier,
Darinnen Falter ihre Kreise ziehn.

Verlassen sonnt sich die Terrasse dort,
Goldfische glitzern tief im Wasserspiegel –
Bisweilen schwimmen Wolken übern Hügel
Und langsam gehn die Fremden wieder fort.

Die Lauben scheinen hell, da junge Frau'n
Am frühen Morgen hier vorbeigegangen;
Ihr Lachen blieb an kleinen Blättern hangen.
In goldnen Dünsten tanzt ein trunkener Faun.

STEFAN GEORGE

Du lehnest wider eine silberweide
Am ufer · mit des fächers starren spitzen
Umschirmest du das haupt dir wie mit blitzen
Und rollst als ob du spieltest dein geschmeide.
Ich bin im boot das laubgewölbe wahren
In das ich dich vergeblich lud zu steigen . .
Die weiden seh ich die sich tiefer neigen
Und blumen die verstreut im wasser fahren.

RICHARD DEHMEL

Blick ins Licht

Still von Baum zu Bäumen schaukeln
meinen Kahn die Uferwellen;
märchenblütenblau umgaukeln
meine Fahrt die Schilflibellen.
Schatten küssen den Boden der Flut . .

Durch die dunkle Wölbung der Erlen
– welch ein funkelndes Verschwenden –
streut die Sonne mit goldenen Händen
silberne Perlen
in die smaragdenen Wirbel der Flut.

Durch die Flucht der Strahlen schweben
bang nach oben meine Träume,
wo die Bäume
ihre krausen Häupter heben
in des Himmels ruhige Flut.

Und in leichtem, lichtem Kreise
weht ein Blatt zu meinen Füßen
nieder; und des Friedens leise
weiße Taube seh ich grüßen,
fernher grüßen
meiner Seele dunkle Flut.

STEFAN GEORGE

Strand

O lenken wir hinweg von wellenauen!
Die · wenn auch wild im wollen und mit düsterm rollen
Nur dulden scheuer möwen schwingenschlag
Und stet des keuschen himmels farben schauen.
Wir heuchelten zu lang schon vor dem tag.

Zu weihern grün mit moor und blumenspuren
Wo gras und laub und ranken wirr und üppig schwanken
Und ewger abend einen altar weiht!
Die schwäne die da aus der buchtung fuhren ·
Geheimnisreich · sind unser brautgeleit.

Die lust entführt uns aus dem fahlen norden:
Wo deine lippen glühen fremde kelche blühen –
Und fliesst dein leib dahin wie blütenschnee
Dann rauschen alle stauden in akkorden
Und werden lorbeer tee und aloe.

ARNO HOLZ

In meinem schwarzen Taxuswald
singt ein Märchenvogel –
die ganze Nacht.

Blumen blinken.

Unter Sternen, die sich spiegeln,
treibt mein Boot.

Meine träumenden Hände
tauchen in schwimmende Wasserrosen.

Unten,
lautlos, die Tiefe.

Fern die Ufer! Das Lied ...

STEFAN GEORGE

Stimmen im Strom

Liebende klagende zagende wesen
Nehmt eure zuflucht in unser bereich ·
Werdet geniessen und werdet genesen ·
Arme und worte umwinden euch weich.

Leiber wie muscheln · korallene lippen
Schwimmen und tönen in schwankem palast ·
Haare verschlungen in ästige klippen
Nahend und wieder vom strudel erfasst.

Bläuliche lampen die halb nur erhellen ·
Schwebende säulen auf kreisendem schuh –
Geigend erzitternde ziehende wellen
Schaukeln in selig beschauliche ruh.

Müdet euch aber das sinnen das singen ·
Fliessender freuden bedächtiger lauf ·
Trifft euch ein kuss: und ihr löst euch in ringen
Gleitet als wogen hinab und hinauf.

RUDOLF ALEXANDER SCHRÖDER

Schwäne

In dieser Sonnenzeit
Ziehen Schwäne
Über den stillen Teich.
Schweigsam und prächtig,
Ihre Flügel leuchten,
Wie sie mit schön gebogenem Hals,
Einsam, gesellig,
Sanft, stolz, kühn
Vorübergleiten;
Und hinter ihnen glitzert die erregte Flut.

Nun klingt es so wundervoll herüber!
Ach, es ist die kleine Nachtigall,
Wo am Ufer dieses glatten Wassers
Die Rosenbüsche blühn.
In ihren Düften schwelgt
Die lichttrunkene Luft;
Die Sonne will bald untergehn.
Da weint und flötet und klagt die Nachtigall,
Weil die Nacht kommt,
Und weil es kühl wird.

Ihr aber, ihr!
Schönhalsige
Ruderer durch die abendlichen Wellen!
Wo seid ihr?
Seid ihr schon ferne?
Oder seid ihr am Ufer hin

Unter den Hängeweiden eingeschlafen,
Daß ich eure Stimme nicht vernehme?

Still!
Sie sind stumm,
Sie dürfen nicht singen.
Du würdest traurig, wenn Du ihr Rufen hörtest.

Ein Abend doch:
Der letzte.
Da breitet der Sonnenvogel
Die schweren Fittiche,
Schwebt
Über Spiegelteichen und Bäumen
Über Rosenbüschen und grünen Feldern,
Wo Wolken Purpurkleider tragen,
Und die Königin sich zum Sterben schmückt.

Wie der See sich regt!
Die Bäume rauschen.
Aus dieser weißen Kehle
Kam ein Ton.
Er fließt durch die Luft.
Winde flüstern wohl,
Stürme rufen,
Du über Felsen hin
Plätscherst zart melodisch,
Wellenhaft leicht, anmutige Plauderin;
Flüsse rauschen durchs Tal.
Auch hörte ich sonst wohl
Den wollüstigen Klagelaut
Und das schluchzende Lachen der holden Flöte,
Der Trompeten scharf, hell
Mutprangendes Jauchzen.
Aber sie müssen alle schweigen,
Dies Wunder kommt aus tiefern Quellen.

Sonnenregen träuft herab.
Die hellen Wolken lachen,
Felder taumeln.
O, goldne Fülle,
Die Luft zittert, Dich zu tragen!
Denn diese reine Seele
Ist aufgewacht und möchte sich befreien!

Nun wird der Wind kühler.
Wo bist Du?
Ich sehe Dich nicht! –
Aber noch fluten
Ströme bezauberter Melodien.

Nun wird die Luft still.
Die Sonne geht unter.
Du hast so oft gelächelt, wenn ich traurig war.
Aber glaube mir:
Es ist keins unter meinen Liedern,
Für das ich nicht schon einmal
Gestorben wäre.

RICHARD SCHAUKAL

Abend

Weiße Schwäne senken ihre schmalen,
Schlanken Hälse in den schilfdurchragten,
Stillen, grünen Weiher, plätschern leise,
Ziehen weiter ihre stillen Kreise . . .
An dem Arm des müden, hochbetagten
Schloßherrn, der den schlafgemiednen Qualen
Seiner kalten Nacht entgegenbangt,
Steht in leichten, weißen Spitzen
Die Gemahlin. Spielend langt

Sie nach den gewundnen Rebenranken ...
Ihre flügelstarken Flucht-Gedanken
Zittern vor den roten Lebensblitzen.

STEFAN GEORGE

Gemahnt dich noch das schöne bildnis dessen
Der nach den schluchten-rosen kühn gehascht ·
Der über seiner jagd den tag vergessen ·
Der von der dolden vollem seim genascht?

Der nach dem parke sich zur ruhe wandte ·
Trieb ihn ein flügelschillern allzuweit ·
Der sinnend sass an jenes weihers kante
Und lauschte in die tiefe heimlichkeit . .

Und von der insel moosgekrönter steine
Verliess der schwan das spiel des wasserfalls
Und legte in die kinderhand die feine
Die schmeichelnde den schlanken hals.

RICHARD DEHMEL

Landung

Mein weißer Schwan vor mir, noch ziehn wir leise
auf dunkler Flut durch unser Morgengrauen,
zur blassen Ferne, wo die Wellenkreise
dem jungen Tage hoch entgegenblauen.

So lassen wir uns tragen, weiter tragen,
und golden wird der dunkle Wasserbogen,

bis wir die seligen Inseln sehen ragen
im Glanz der Frühe aus den stillen Wogen.

Da wirst du losgeknüpft von meinen Zügeln,
der Nachen säumt, wir sind am Heimatlande;
da dehnst du dich mit ausgespannten Flügeln
und steigst hinauf mit mir zum hellen Strande.

Und von den Höhen wird ein Singen wehen,
die Bahn zum Licht zu weisen auch den Brüdern,
und durch die Tiefen wird ein Klingen gehen
von großem Glück: aus meinen Schwanenliedern.

EMIL RUDOLF WEISS

Pedal

Sieben schwarze Schwäne schweigen auf meinem Teich, den ich mir umhüllt habe mit den Augen der tiefen Stille.

Sieben schwarze Schwäne ziehen langsam ihre schweigenden Kreise. Doch das Wasser ist schwarz und schwer und unbeweglich.

Eine Brücke, eine feine, leichte weiß ich. Aber sie trägt mich nicht, die weiße, feine, leichte Brücke. Man müßte lachend darüber gehen.

Und ich bin stumm und sehe verloren, wie sieben schwarze Schwäne schweigende Kreise ziehen auf meinem umhüllten Teich.

Sieben schwarze Schwäne.

CHRISTIAN MORGENSTERN

Singende Flammen

Zwei Flammen steigen schlank empor
in stiller, weißer Wacht,
sie singen einen leisen Chor
empor zur Nacht,
zur Nacht.

Zwiefacher Liebe Dankgebet
ertönt in zarter Pracht,
der Erde Doppelseele weht
empor zur Nacht,
zur Nacht.

KARL SCHLOSS

Nachtlied

Alle Wonne schlürft mein Ohr
Der Einsamkeit –
Selig wer die Welt verlor
Wie ein dunkles Kleid.
Nackt steh ich, mir enthüllt
Im dunklen Tal
Von mir selber angefüllt,
Ein goldner Pokal.

Lust will glühen und Leid
Wie Stern an Stern
Und dies Feuerkleid
Trag ich gern.

HEINRICH VOGELER

Schwarzes nächtiges Tal, lichterbesät;
Der Nachtigall lockendes Schlagen,
Ein Suchen, ein Finden,
Ein Schmiegen, ein Pressen;
Weich legt sich Dein zitternder Arm
Um meinen gebeugten Nacken.

FELIX GRAFE

So war der Abend: hell im Haar
trug er ein Perlenband;
und schimmernd wie ein Tropfen war
ein Ring in seiner Hand.

Und leise warf er auf die Flur
Geschmeide, Schmuck und Ring
bis eine blasse Perle nur
an seinen Brüsten hing.

Dann schritt er dunkel durch mein Haus,
mein Fenster wurde weit –
Verschwendet lag ins Land hinaus
sein königliches Kleid.

ERNST STADLER

Ausblick

Der Abend dampft in den gefüllten Schalen
und schwillt aus Glocken blauumkränzter Weiten ·
die Brunnen glühn wie Ketten von Opalen.

Aus strahlend offnen Toren lächelnd schreiten
in langen Zügen blasse ferne Frauen:
die schlanken Krüge lässig wiegend gleiten

sie in den warmen Sommerglanz der Auen
und schwimmen hin im Duft verlorner Lieder . .
Und aus dem süß gewellten Haar der grauen

Zypressen rieseln schon die Schatten nieder.

OTTO JULIUS BIERBAUM

Traum durch die Dämmerung

Weite Wiesen im Dämmergrau;
Die Sonne verglomm, die Sterne ziehn:
Nun geh ich zu der schönsten Frau,
Weit über Wiesen im Dämmergrau,
Tief in den Busch von Jasmin.

Durch Dämmergrau in der Liebe Land;
Ich gehe nicht schnell, ich eile nicht;
Mich zieht ein weiches, samtenes Band
Durch Dämmergrau in der Liebe Land,
In ein blaues, mildes Licht.

GEORG TRAKL

Schweigen

Über den Wäldern schimmert bleich
Der Mond, der uns träumen macht,
Die Weide am dunklen Teich
Weint lautlos in die Nacht.

Ein Herz erlischt – und sacht
Die Nebel fluten und steigen –
Schweigen, Schweigen!

ERNST STADLER

Spiel im Dämmer

Schon sinkt ein schlaffes Licht durch die Rotunde
voll ins Gemach und schwebt um die verblaßten
gestickten Bilde · und im flimmernden Grunde
beben · rauschen wie Flut die glimmenden Tasten.

Zu weichem Gleiten · lächelndem Verschlingen
enttauchen Schatten in umflortem Tanz:
Gekränzter Kinder schwaches Frühlingssingen
in Wellen hingespült vom scheuen Glanz.

Und dunkler flutend: Schwüle Sommernächte . .
In goldnen Gärten weißer Blüten Fall.
Fiebernde Hände wühlen im Geflechte
traumdunkler Haare . . fern . . die Nachtigall.

Und brennender im dämmerschweren Schweigen
wirbeln die Tasten durch den blassen Raum.

Und aller Sehnsucht dunkle Wasser steigen ·
und alle süßen Quellen · Traum um Traum.

Erloschner Bilder tief gebeugte Garben
trunkner Gesichte süß vergilbte Pracht ·
ein Hauch von Veilchen · die im Frührot starben ·
dämmernd umströmt vom Glanz der lauen Nacht.

ALFRED MOMBERT

Schwüle

Ich fuhr auf schwülem Sommertraum
vorbei an dunklem Seegestade,
in eines Ruhenachen Raum
ein Jüngling stand zu kühlem Bade.

Der heiße Leib gezogen schlank
starrt' in dem Duft, wie wenn er schliefe;
mit wollustzitterm Auge trank
sein weißes Bild die grüne Tiefe.

Das Angesicht . . . das Angesicht! . . .
Doch konnt' ich keinen Anker werfen,
es war umsonst, im falschen Licht
mit wilder Kraft den Blick zu schärfen.

Er schöpfte plötzlich eine Glut
von Rosenblättern aus dem Nachen,
bestreute weich damit die Flut,
als woll' er sich sein Lager machen.

Ein böser Ruf, so schreck und schrill! –
Ich sah ihn noch herüberwinken
und nun hinuntersteigen, still
und spurlos in der Flut versinken.

ERNST STADLER

Aus „Freundinnen"

Silvia

Genug! Ich sterbe! Ich vergehe! Sieh –
wie sich ein Blütenkelch fröstelnd zur Sonne streckt ·
die ihn in heißer Küsse Rausch glühend erweckt
und glühend tötet · wie ein Falter · der
das süße Gift der Blütendolden trinkt ·
bis taumelnd er im schweren Duft versinkt ·
wie die Bacchantin · die zu roter Fackeln Licht
aufglühend tanzt und tanzt · bis zuckend sie zusammenbricht –
stürzt meine Jugend jauchzend dir entgegen ·
mein glühend Blut in funkelnd heißen Güssen:
Töte mich · Wilde! Töte mich mit deinen Küssen!

Bianca
(heiß und heimlich)

O komm! Das Leben bräutlich glühend winkt
uns zu und lockt. Die Fesseln sind zerrissen ·
und aus dem rötlich matten Dämmer blinkt
wie Gold das Bett mit glutzerwühlten Kissen.
Hörst du des Windes Wiegen in den Zweigen
und brünstig dunkle Stimmen schwüler Nacht
und Geigenklang? Das ist der Hochzeitsreigen ·
der uns mit Spiel und Singen heimgebracht.
Fühlst du das Leuchten · das am Estrich schaukelt
von spätem Ampelglühen · und den Glanz
des weißen Monds? Das ist der Fackeltanz ·
der unsre Liebesnacht flatternd umgaukelt.
Komm · Liebste! Komm! Auf meinen Armen will
ich zitternd dich in süßes Dunkel tragen ·
und um die Schauer junger Glut soll still
und weich die Nacht die schweren Schleier schlagen.

Und lichter als der lichte Tag im Zimmer
und immer lichter schauert ein Geflimmer
von Kerzen über helle Blumen hin.
Still schwebt um silberblau gestickte Kissen
der Duft des weißen Flieders, der Narzissen.
Und durch die Bläue, durch die Blumen hin
zittert die Luft, als ob sich Herzen rühren:
zwei Menschen stehn – noch tönen still die Türen –
mit Augen, die den Himmel nahe spüren,
enthüllt bis zu den Hüften da:

ein Mann mahnt: du! – ein Weib haucht: ja.

Still sinkt ihr Arm von ihren braunen Brüsten,
die Lichter schauern immer schimmernder;
sein Blick erbebt, als ob sie lodern müßten.
Die Blumen atmen immer flimmernder.
Die Sterne an den silberblauen Wänden
erstrahlen wie in keiner Nacht so blank.
Still nestelt sie am Goldband ihrer Lenden;
sein Körper spannt sich unter innern Bränden,
wie eines Kämpfers straff und schlank.
Still schaut sie auf. Er muß die Augen schließen.
Still weht ein Flor zu Boden. Er will sehn!
Er sieht nur, wie zwei Augen Licht ergießen,
zwei dunkle Augen, die ihm zugestehn
– still –
was er will.
Er will sie ganz mit seinem Blick erkennen;
er sieht sie ganz nach seinem Blick entbrennen.
Er will nichts mehr als stehn und stehn
und still in ihre Seele sehn.
Er steht und muß die Hände heben,

als blende ihn das ewige Leben;
und dunkel rauscht der Weltraum. Da

mahnt *sie* ihn: du – da haucht er: ja –

und alles rauscht tief innerlich.
Zwei nackte Menschen einen sich.

JULIUS HART

Schwül weht herauf die heiße Sommernacht
mit schwerem Blumenduft, die Blütenhänge
hinunter geht der müde Wind, stumm, still und sacht.

Verstummt der Lärm, nur fern verbuhlte Klänge
und süßer Flötenton, – wie taumelnd streicht
ein Vogel kreischend durch des Gartens Gänge.

Die Fenster offen, am Balkon verzweigt
hängt wilder Wein und schattenhafte Bäume
stehn schwarzverworren, Blatt und Haupt geneigt.

Auf eines Löwenfells gelbhaarigen Säumen
lieg ich zu Füßen dir, mein Haar verwirrt
und bloß die Brust, im Kopfe wirr von Träumen.

Blutfarbnes Licht sprüht durch den Saal verirrt,
Leis wiegt die Ampel sich an goldnen Ketten,
daß Wand und Decke rings von rotem Golde flirrt.

Doch du ruhst müd auf purpurdunklen Betten,
den braunen Arm entblößt, die Stirn geschmückt,
mit blauen Orchideen und Perlenketten.

Vom Busen ist der Schleier leicht verrückt,
der blasse Nacken frei, das Aug' geschlossen,
die schmale Hand ans laute Herz gedrückt.

Vom Haupte kommt das schwarze Haar geflossen
in engen Fluten, und um Stirn und Haupt
liegt's gleichwie dunkle Blüten hingegossen.

Still ist's und stumm, die Hand hab ich geraubt,
und fiebernd sie geküßt mit heißem Munde
und deinem starren Lächeln fast geglaubt.

Müd zog herauf die mitternächt'ge Stunde,
der Himmel sah's durch Fenster hoch herein,
und letzter Blütenduft stieg auf vom Grunde . . .
und müd erlosch der Ampel letzter Schein . . .

EMANUEL VON BODMAN

Bann

O bleibe so von deinem Haar umflossen!
Laß an der Rose deinen bangen Mund!
Mich faßt es, schüttert es bis auf den Grund:
Ich habe diesen süßen Leib umschlossen,
Und diese ganze junge Glut ist mein.
O daß doch jede Stunde unsrer Liebe
Der Welt, der ganzen Welt erhalten bliebe
Wie eine goldne Blüte! Ich allein
Soll schweigsam dieses Glück genießen,
In mich versenken. Nein, das kann ich nicht:
Ich muß dich, deine Seele, dein Gesicht
In Worte, Farben, trunkne Töne gießen.

ERNST HARDT

Aus „Tantris der Narr"

Ein elfenbeinern Gleißen ist ihr weißer Leib,
Aus Maienmondlicht aufgebaut zu einem Wunder
Der Herrlichkeit. – Ein wilder Garten ist dein Leib,
Wo Purpurfrüchte gluten und betäuben.
Dein Leib ist eine Kirche aus Basalt,
Ein Elfenberg, in dem die Harfen klingen,
Ein jungfräuliches Schneegefild. Und deine Brüste
Sind heiligstes Geknosp des Strahlengartens,
Fruchtkapseln, die noch harren auf den süßen Seim
Des Sommermonds! Dein Hals ist wie ein Lilienschaft
Emporgebogen, deine Arme weisen

Wie Blütenzweige eines jungen Mandelbaumes
Keusch und verheißend in das Paradies,
In dem das Wunder deiner starken Lenden
Geheimnisvoll und drohend thront wie Gott. Dein Leib ...

EDUARD STUCKEN

Aus „Lanvâl"

Ich will daher als Zeichen besonderer Gunst
Euch ein Geschenk darreichen: ein Werk der Kunst!
Ein Kunstwerk Gottes! Nachdem es Sein Traum war und Sehnen,
Hat der göttliche Bildner aus Lehm es geformt und aus Tränen.
Und er knetete Gralsblut ins Herz, Blutambrosia,
Einen Tropfen Gottesschmerz von Golgatha.
Den Rubin vom Kalvarienberg trug das Bildnis davon;
Denn Gott liebt sein schneeweißes Werk wie Pygmalion.
Nach siebzehnjährigem Mühn gelang Gott das Bildnis.
Und nun strahlt es, wie Gralsblumen glühn in mystischer Wildnis
Vom Engels-Lichtglanz getränkt der Saphir-Schale.
Nie ward ein solches Kleinod verschenkt! Meiner Krone Opale
Sind bleich, bleich wie der Siriusstern neben diesem Lichte!
Euch geb ich dies Kunstwerk des Herrn: Lionors meine Nichte!

ALFRED MOMBERT

Ich lehne am Stamme einer Sykomore.
Es umsausen mich die Winde der Morgenröte –

aus dem glühenden Osten
treten die Sängerinnen vor mich hin –:

„Sie liegt in blauer Glut
strahlend über den Ländern der Erde.

Ihre Brüste umjauchzen Rosenbüsche,
umbrennen Oleandersträucher;
Granat- und Myrtenhecken.
Drin trillern Rotkehlchen,
schmelzen alle Nachtigallen.
Heran zückt Tulpe, Hyazinthe, Narzisse;
Kelche klingen zitternd an,
und trunken wiegen schillernde Falter.

Zwischen ihren feuchten Haaren sprießen Schilfgräser.
Mangrovenwälder, Bambushaine.
Es grünen die Seegewässer
der Algen und der Tange,
drin fischen schreiende Reiher, die Rosa-Traum-Flamingos.

An ihren Lenden glänzt das heitere Licht Arabiens . . ."

ERNST STADLER

Semiramis

An Hals und Knöcheln klirren güldne Spangen ·
die Spiegel funkeln grell vom Glanz umflossen.
Auf Teppichen · drin Ambraduft gefangen ·

liegt ihres Leibes weißer Kelch ergossen
von dunklem Haar in losem Kranz umschlungen ·
die Augen wie zu schwerem Schlaf geschlossen

träumen in leichtem Rausch von eines jungen
goldblonden Griechenknaben weichen Brüsten.
Fern ist das Lied der Sklavinnen verklungen ·

die Lippen zucken schlaff · als ob sie küßten
und draußen · wo die finstern Wachen kreisen
lehnt bleich der Henker an den Marmorbüsten.

Rot tanzt die Sonne auf dem nackten Eisen.

RICHARD SCHAUKAL

Huldigung des Chevalier de ...
an die Duchesse de ...

Wie volle weiße Frühlingsblüten
rund und mit rosigen zarten Spitzen
sind deine jungen keuschen Brüste.

Über dem schmalen geschmeidigen Leibe
stehen sie hoch und reifen schwellend
wie Granaten am biegsamen Stamme.

Du beugst dich, und sie senken sich ruhig,
du kniest, und über die weichen Arme
gleiten sie mit den rosa Schnäbeln.

Du stehst und wirfst mit erhobenem Kinne
dein widerwilliges Haar in den Nacken:
stolz und fordernd heben sie sich und starren.

Birgst du die drängenden in Spitzen und Seiden,
sie steigen wie in Nebelschleiern
weiße Kuppeln stiller Bergestempel
ungebändigt unter den scheuen Hüllen.

STEFAN GEORGE

Der Teppich

Hier schlingen menschen mit gewächsen tieren
Sich fremd zum bund umrahmt von seidner franze
Und blaue sicheln weisse sterne zieren
Und queren sie in dem erstarrten tanze.

Und kahle linien ziehn in reich-gestickten
Und teil um teil ist wirr und gegenwendig
Und keiner ahnt das rätsel der verstrickten . .
Da eines abends wird das werk lebendig.

Da regen schauernd sich die toten äste
Die wesen eng von strich und kreis umspannet
Und treten klar vor die geknüpften quäste
Die lösung bringend über die ihr sannet!

Sie ist nach willen nicht: ist nicht für jede
Gewohne stunde: ist kein schatz der gilde.
Sie wird den vielen nie und nie durch rede
Sie wird den seltnen selten im gebilde.

ERNST STADLER

Im Treibhaus

Gefleckte Moose · bunte Flechten schwanken
um hoher Palmen fächerstarre Fahnen ·

und zwischen glatten Taxusstauden ranken
sich bleich und lüstern zitternde Lianen.

Gleich seltnen Faltern schaukeln Orchideen ·
und krause Farren ringeln ihr Gefieder ·
glitzernd von überwachsnen Wänden wehn
in Flocken wilde Blütenbüschel nieder.

Und kranke Triebe züngeln auf und leuchten
aus jäh gespaltner Kelche wirrem Meer ·
und langsam trägt die laue Luft den feuchten
traumschlaffen Duft der Palmen drüberher.

Und schattenhaft beglänzt im weichen
gedämpften Feuer strahlt der Raum ·
und ahnend dämmern Bild und Zeichen
für seltne Wollust · frevlen Traum.

STEFAN GEORGE

Unterm schutz von dichten blättergründen
Wo von sternen feine flocken schneien ·
Sachte stimmen ihre leiden künden ·
Fabeltiere aus den braunen schlünden
Strahlen in die marmorbecken speien ·
Draus die kleinen bäche klagend eilen:
Kamen kerzen das gesträuch entzünden ·
Weisse formen das gewässer teilen

Eis. Und Eis-Licht-Strahlen.
Aus dem lichten Eise seh ich sprießen
einen Wunder-Blumenstrauß.
Sind das Rosen? sind das Lilien?
Sind es blaue Eis-Narzissen?
Dickicht wirrt von Dolden und Ähren.
Farben-Wälder: die bewegen sich:
die silbern, die golden einander,
die strahlen ineinander Wider-Flammen,
schleudern Perlen-Glanz, Rubin-Gefunkel:
Und zehntausend Glocken klingen an.

Mitten steht die Tänzerin.
Blütenzarte Krokus-Füße,
Lilien-Glieder regen sich.
Haupt-entschleiernd eine Veilchen-äugige
Geistin lächelt wunderbar.
Deutend auf die Brüste:
über ihre Myrten-Stirne streichend:
Meine heitere Geliebte winkt.
Und die Zeit wird immer göttlicher.
Immer gewölbter. Immer spiegelnder.
Die Stengel treiben seligere Blüten.
Der Blumenstrauß wächst höher, himmlischer
Er durchblüht Orion, er duftet im Perseus.
Er funkelt in die Schöpfer-Welt-Sehnsüchte;
er glüht hinein in die Nacht sternloser Räume.
Und die Tänzerin beginnt den Tanz.
Sie dreht sich: zeigt sich: lächelt sich:
die Brüste kreisen schimmernd,
die Tilotama-Wangen glühen.
Sie zeigt der unteren Welt das Glück.
Da entströmt Musik dem Venus-Stern,
da tanzen die trunkenen Monde.

Weites Funken-Feuer tropft hochab.
Die Tänzerin wölbt ihre Freuden-Arme.
Spendet Sieg-Lächeln den oberen Himmeln.
Sie hat ihre Haare in Äther verliehen.
Sie hat alle Blüten in das All verschenkt.
Sie hat jetzt die heiterste Sfäre ertanzt.
Sie hat das himmlische Saitenspiel ergriffen.
Sie singt. Und sie klingt.

ERNST HARDT

Das Land der Wunder

Am Abend schmücktest Du Dein Haar mit Gold und roten
Rosen,
Mir gabst Du weiße Perlen, die aus fremden Meeren kamen,
Und manchmal leuchtete ihr Glanz so rot wie Gold und
Rosen.
Zum Königsspiele senkten wir die Blicke und die Hände,
Dein Haupt, geneigt und blaß im Schein des Lichts, schien
mir so schön
Und seltsam reich und fremd die schwarze Seide Deiner
Wimpern.
Ein Duft entströmte Deinem reifen Haar und ließ mich
träumen:

Auf hellen Wiesen bei den Wassern gingen schlanke
Menschen,
Die neigten sich und pflückten viele Blumen. Blumen
reichten sie
Mit feierlicher Hand den Schwänen, die zum Ufer kamen,
Und manche Blüte schmückte auch den Fluß, der heilig war.
Und andre gingen, wo das Gras die schweren Schatten
kühlten,
Die hoben Blick und Arm zum Himmel auf und freuten sich

Des großen Schweigens und der Schwestern, die am Ufer standen
Und glaubten, daß die Schönheit Tugend sei und Ewigkeit.

Da rief Dein Jubel mich – und nimmer wolltest Du verzeihen,
Daß ich mit kleinem Lächeln Deinen Sieg Dir neidlos gönnte:
Dir blieb die schöne Deutung Deines Namens fremd, Uleia!

ARNO HOLZ

Auf einem vergoldeten Blumenschiff
mit Ebenholzmasten und Purpursegeln
schwimmen wir ins offne Meer.

Hinter uns,
zwischen Wasserrosen,
schaukelt der Mond.

Tausend bunte Papierlaternen schillern an seidnen Fäden.

In runden Schalen kreist der Wein.

Die Lauten klingen.

Aus fernem Süd
taucht blühend eine Insel . . .

Die Insel – der Vergessenheit!

NACHWORT

Wie so viele Epochenbezeichnungen stammt der Begriff „Jugendstil“ aus der Kunstgeschichte, in der sich die formale Entwicklung oft wesentlich klarer ablesen läßt als in den literarischen Parallelerscheinungen. Man versteht darunter eine fortschreitende Verselbständigung der künstlerischen Mittel in Richtung auf das Ornamentale, wie sie für die gesamte nachimpressionistische Kunst bezeichnend ist. Während sich im Neoimpressionismus der über die Dinge gebreitete Farbschleier oder der reinfarbige Punkt als stilbestimmender Faktor erweist, interessiert sich der Jugendstil nur für die Linie, die „reine Linie“, die sich so weit vom Gegenständlichen entfernt, daß sie zum bloßen Sinneseindruck wird. Auf Schritt und Tritt begegnet man in den Werken dieser Richtung züngelnden Arabesken oder dynamisch erfüllten Kurven, deren Hauptwert im Dekorativen besteht. Es ist ein Stil, bei dem alles gleitet, ausweicht, sich windet, schlängelt oder dreht, sich im Hin und Zurück der Linien scheinbar begegnet, die Fläche mit einem krausen Liniengewirr überspült oder sich in zahllosen Parallelen nebeneinanderschiebt und so im ständigen Wechsel der Linienführung jeder klar erfaßbaren Formbegrenzung auszuweichen versucht. Obwohl diese Betonung der Linie, die eigentlich etwas Sonderndes, Grenzbezeichnendes und Klärendes hat, bereits im Gegensatz zur impressionistischen Verschleierung aller Formen und Gegenstände steht, erweckt sie durch die Seltsamkeit der Windungen und unendlichen Begegnungen den Eindruck einer rastlosen Bewegung, die sich dem Verstehenwollen ebenso entzieht wie die flüchtigen Andeutungen des Impressionismus, was in gleicher Weise spannend und reizend wirkt und damit auf denselben geistigen und formalen Hintergrund verweist.

Es ist daher durchaus richtig, bei diesen linearen Stilisierungstendenzen von Sezessionismus zu sprechen, da es sich letztlich nur um einen stilisierten Impressionismus handelt, der sich im Zuge der ästhetischen Verfeinerung in immer exklusivere Bereiche zurückzuziehen versucht. Der Jugendstil ist keine Revolte, wie manche seiner Bewunderer behauptet haben, sondern läßt sich nur aus dem autistischen Narzißmus des Fin de siècle verstehen. Weltanschaulich betrachtet, huldigt er demselben Ästhetizismus wie die betont dekadenten, symbolistischen und neuro-mantischen Strömungen der Jahrhundertwende, die sich als eine Reaktion gegen das Häßliche und Formlose der naturalistischen Ära empfanden. Hier wie dort flüchten kleine, selbsterwählte Eliten in eine Welt des schönen Scheins, in der man sich nicht mit den immer dringender werdenden Fragen der technischen, wirtschaftlichen und sozialen Realität auseinanderzusetzen braucht. Im Zentrum dieser Kunst steht daher eine Villenkultur, deren Hauptträger der Ästhet und der Dandy sind, für die es nichts Höheres gibt als die künstlerische Erlesenheit ihrer eigenen Wohnzimmerklause. Auf diese Weise schafft man eine Zone des Inselhaften, in der sich alles Naturhafte ins Artifizielle und Geschmeideartige verwandelt. Man spinnt sich in Linien ein, um sich ständig im Dämmerlicht „künstlicher Paradiese" zu bewegen. Daher sind die Hauptwerke dieser Richtung keine Zweckbauten, keine Rathäuser, Bahnhöfe oder Fabriken, sondern juwelenartig ausgestattete Salons, voller Vitrinen und Kommoden, auf denen ein seltsam irisierendes Kunstgewerbe von Tiffany-Vasen, Gallé-Gläsern und lappenartig ausgefransten Keramiken zu blühen scheint. Und zwar sammelt man diese Werke nicht nur, sondern sieht in ihnen lebende „Mitwisser" und „Freudenspender". Man begrüßt sie und verabschiedet sich von ihnen, wenn man das Zimmer verläßt, wie Peter Altenberg in der *Jugend* schreibt. Andere sprachen von kostbaren Bibelots und empfanden die Ledereinbände des frühen Insel-Verlages „suggestiver" als Frauenhaut. Daß man alle diese Gebilde obendrein mit Liniengespinsten dekorierte, sollte nicht nur den sensualistischen Reizwert des Ganzen erhöhen, sondern zugleich eine Grenze gegen die Außenwelt markieren. Unter dieser Perspektive gesehen, ist der gesamte Jugendstil eine Rahmenkunst. Nicht der Inhalt ist das Wichtige, sondern die Begrenzung, mit der man sich von der „unkünstlerischen" und damit häßlichen Alltäglichkeit zu distanzieren versucht.

Selbstverständlich gibt es auch in dieser Strömung manche Wandlungen und Richtungswechsel, was zum Teil mit der Vielgesichtigkeit der internationalen Art-Nouveau-Tendenzen zusammenhängt, die sich um 1900 als Modern Style, Paling Stijl, Mouvement Belge, Veldescher Stil, Sezessionsstil, Yachting Style, Stile Inglese oder Style Metro bis nach New York und Moskau verbreiteten. In Deutschland begegnet man dieser ornamentalen Schmucktendenz zum erstenmal um das Jahr 1895, und zwar in München, der eigentlichen Kernzelle des deutschen Jugendstils. Die entscheidenden Impulse gingen dabei von Künstlern aus, die in den Umkreis der Zeitschriften *Jugend* und *Simplicissimus* gehören und eher an eine harmlose Kunstrebellion als an eine grundsätzliche Stilwende dachten. Was diese Graphiker und Kunstgewerbler interessierte, war meist das Originelle um jeden Preis. Vieles ist daher bloßer Ulk, bloße Faschingsrevolte. Immer wieder spürt man eine Lust am Ungewöhnlichen, Skandalösen und Brettlhaften. Aus diesem Grunde werden ganze Nummern dem Pikanten gewidmet: Chambreseparée-Stimmungen, Kußszenen oder kleine Entblößungen zu vorgerückter Stunde, die sich im Bereich von Frou-Frou und Tingeltangel abspielen. Von Heft zu Heft steigert sich hier die Melodie: Freut euch des Lebens, solange noch die „Jugend" blüht.

Neben dieser vorwiegend karnevalistischen Richtung entwickelte sich zur selben Zeit eine Stilisierungstendenz, die man bisher die „florale" genannt hat, da sie in ihren Ornamenten weitgehend auf botanische Motive zurückgeht. Eine besondere Vorliebe hegte man für Schwertlilien, Lianen, Seerosen, Mohn und Heckenrosen, das heißt für alles, was ein reiches Blätter- und Rankenwerk hat und sich dadurch leicht in eine schwingende Linearität verwandeln läßt. Daneben liebte man Flamingos oder Schwäne, deren Hals sich nur allzu willig einer ornamentalen Verbiegung unterwirft. Denn das Entscheidende ist auch hier nicht die Realität, sondern die eigenschöpferische Linienführung. Selbst beseelte Wesen, wie Sylphen, Tänzerinnen oder Wassernixen, werden von Künstlern wie Otto Eckmann, Hans Christiansen oder Fidus in diesen allgemeinen Linienstrudel hineingezogen und zu pikant verbrämten Ornamenten verwandelt. Überall spürt man einen Liniendrang, der sich trotz aller Ätherik gerade an den erotischen Rundungen entzündet und den Kurvenreichtum dieser Jugendstil-Geschöpfe mit schmeichlerischen Dekorationsgespinsten umspielt. Auf diese Weise entsteht ein „Reigen des Lebens", der scheinbar ins Unendliche tendiert und doch immer nur dem einen Ziele dient: in ein Reich des fessellosen Triebes zu entschlüpfen, wo die gerade und korrekte Welt des Alltags dem Prinzip der schlangenartig erregten Wellenlinie weichen muß.

Die dritte Phase dieser Richtung bildet eine Wendung ins Feierlich-Symbolische und Geometrisierende, die im Gegensatz zur deutsch-floralen Strömung mehr von englisch-präraffaelitischen, schottischen oder belgischen Quellen bestimmt wird. An die Stelle der bisherigen Natursentimentalität tritt hier weitgehend das abstrakte Ornament, was in den Werken von Henry van de Velde, Peter Behrens und Richard Riemerschmid zu einer allmählichen Erstarrung der züngelnden Wellenlinien und Triebarabesken führt. Damit ist der Endpunkt dessen erreicht, was gemeinhin als Jugendstil angesprochen wird. Auf der einen Seite schwenkt man ins Monumentale ab und lehnt sich wieder an den Klassizismus an, während andere Kreise mehr zu „puristischen" Tendenzen neigen, wie sie dann vom „Werkbund" aufgegriffen werden.

Man hat sich oft gefragt, ob man einen solchen Stilbegriff, der völlig aus dem Bereich des Kunstgewerblichen stammt, auch auf die Literatur dieser Ära übertragen kann. Wenn man an den Begriff „Biedermeier" denkt, der ursprünglich ebenfalls einen reinen Möbelstil bezeichnete, spricht dieser Faktor an sich nicht dagegen. Nur sollte man sich nicht von der Kunstgeschichte einfach ins Schlepptau nehmen lassen und den gesamten Zeitraum zwischen 1895 und 1910 als „Jugendstil-Periode" bezeichnen. Literarisch gesehen, ist der Jugendstil nur eine Strömung unter anderen – und vielleicht nicht einmal die entscheidende. Wichtig ist, daß er sich wie in der bildenden Kunst auf die Kleinform beschränkt und daher in der Lyrik seine reinste Verwirklichung erfahren hat. Ganze Dramen oder Romane wird man mit diesem Begriff kaum erfassen können, höchstens ein paar „Spiele" oder Gedichtzyklen, was von vornherein auf seine stilgeschichtliche Begrenzung weist. Es gibt daher keine Dichter, deren Werke nur in diese Richtung gehören. Alle haben sie bloß teil am Jugendstil, ohne sich wirklich in ihm zu erfüllen, was selbst für ein Dekorationsgenie wie Bierbaum gilt, der noch am ehesten dem Prototyp dieser stilkünstlerischen Bemühungen entspricht. Doch diese Einschränkung läßt sich bei allen Strömungen dieser Ära machen. Ob nun Neoimpressionismus, Symbolismus, Sezessionismus, Jugendstil, volkhafte Heimatkunst oder neudeutsche Monumentalität: alle sind nur Unterarten eines formkünstlerischen Bemühens, das man später einmal unter dem Schlagwort „Stilkunst um 1900" zusammenfassen könnte. Bevor man sich jedoch zu solchen Vergröberungen entschließt, sollte man erst einmal die formalen und inhaltlichen Nuancen dieses allgemeinen Stilpluralismus näher definieren. Darum sei mit dieser Lyrik-Auswahl das Problem des literarischen Jugendstils zur Diskussion gestellt, der trotz einer modischen Interessiertheit an seinen verschiedenen Erscheinungsformen noch immer mancher Klärungen bedarf.

Chronologisch betrachtet, lassen sich dabei wie im Kunstgewerbe mehrere Phasen konstatieren, aus denen sich eine gewisse Reihenfolge ergibt, obwohl es auch hier immer wieder zu merkwürdigen Phasenverschiebungen kommt. Den Auftakt bildet wie auf illustrativem Gebiet der karnevalistische Rausch der *Jugend* und die Tanz-und-Taumel-

Atmosphäre des „Überbrettl“. Sogar die „ernsthafte“ Lyrik dieser Jahre wird von dieser tänzerisch-linearen Rhythmik ergriffen und gerät dadurch in einen Sog hüpfender und springender Bewegungsmotive, der das Gedankliche weitgehend überspült. Anstatt wie im Impressionismus einen Eindruck an den anderen zu reihen, liebt man jetzt das Ausweichende und Ungewöhnliche, was zu einem ständigen Wechsel der Sprachrhythmen führt. Man denke an den ganzen Kling-Klang des Varietés mit seinen Tanzrhythmen und seiner alles Versmaß sprengenden Akzentuierung, wo sich auch die Form dem tänzerisch gedachten Inhalt anzupassen versucht. Das Wesen dieser Dichtung wird zwar nicht ausschließlich durch den Begriff „Jugendstil“ erklärt, und dennoch ist viel vom Geiste dieser Bewegung darin. Vor allem in den Sprüngen und Gegensprüngen, dem ständigen Hüpfen, Sich-Wiegen, dem Unverbindlichen der Worte, denen eine rein formalistische Gestaltungsweise entspricht. Der Rhythmus der einzelnen Verse ist oft so gewunden, daß man ihn fast als Linie aufzeichnen könnte, besonders in der Kling-Klang-, Dideldum-, Tidlidei- und Laridah-Lyrik, wie man sie im Umkreis der Münchener *Jugend* pflegte. Wohl am deutlichsten huldigte Otto Julius Bierbaum dieser Tanz-und-Taumel-Atmosphäre. Bei ihm scheint alles zu hüpfen, zu tanzen, zu springen, sich dem impressionistischen Lebensgenuß hinzugeben. Aber trotz dieser scheinbaren Unmittelbarkeit triumphiert auch hier das Ornamentale. Das beweist sein Gedichtband *Irrgarten der Liebe* (1901), worin der genießerischen Offenheit die Faunsmaske vorgebunden wird, um das allzu Direkte ins Arkadische umzustilisieren. Was er dadurch erreicht, ist eine Pansmanier mit mythologischem Dekor, bei der die verschlungenen Wege des Herzens ins Schäferlich-Verspielte verharmlost werden. Ähnliche Töne hört man bei Ludwig Finckh oder Alfred Walter Heymel. Auch bei ihnen handelt es sich meist um stilisierte Gesellschaftslieder, die sich nicht an einen einzelnen, sondern an eine bestimmte Gruppe wenden und mit rhythmisch pointierten Suggestivzeilen zum Rundtanz auffordern.

Ebenso stark dem Jugendstil verpflichtet sind die Mittelachsengedichte von Arno Holz und seinen Epigonen, die in ihrer floralen Verschlingung und dekorativen Aneinanderreihung oft bei einer völligen Sinnentleerung landen. Was einst als Mittel eines impressionistischen Sekundenstils gedacht war, der einen Sinneseindruck an den anderen reiht, wird hier zu einer kunstgewerblich stilisierten Schlängelei, bei der weniger der Inhalt als das äußere Erscheinungsbild im Vordergrund steht. Viele Gedichte dieser Richtung erwecken den Eindruck, als sei das Ganze nur um der Symmetrie willen gedichtet, um einen konsequent stilisierten Gedichtband zu schaffen, bei dem Drucktype, Einband und Vorsatzpapier wie in den Wohnungen dieser Jahre ein wohlsortiertes Ensemble bilden. Und doch bleibt auch hier ein gewisser Rest, der sich nicht als jugendstilhaft bezeichnen läßt, da den meisten der Holzschen Phantasus-Gedichte (1898/99) – trotz mancher monistischen Anklänge – das Schwüle und Symbolgeladene fehlt, das in den späteren Phasen dieser Richtung vorherrschend wird.

Den besten Übergang dazu bilden die Werke des mittleren Dehmel, der sich um 1895 schnell aus seinen naturalistischen und impressionistisch-lebensphilosophischen Anfängen befreit und ins Symbolische oder Naturreligiöse übergeht. Auch er hat seine Brettlphase, wo er auffallend verzwickte, schlenkernde und schaukelnde Rhythmen bevorzugt. Doch auf dem Weg von München nach Berlin setzt auch hier – wie in der bildenden Kunst – eine merkliche Verschiebung ins stimmungshaft Monistische ein. So schreibt Dehmel keine Tanzlieder, bei denen man sich an die Münchener Faschingsatmosphäre erinnert fühlt, sondern rauschhaft begeisterte Dithyramben wie sein Gedicht *Ich warf eine Rose ins Meer,* die trotz ihrer Jugendstil-Bilder deutlich an Nietzsche gemahnen. Anstatt wie bisher zu sagen „Nur in kurzen Röcken kann man lieben“, heißt es jetzt mit naturreligiöser Emphase:

Über die grüne Wiese wollen wir rennen,
in den Wald,
Hand in Hand,
nackt,
unsere brennenden Stirnen bekränzt.

Wohl ihre reinste Verwirklichung erlebt diese Stimmung in Dehmels *Zwei Menschen* (1903), einem Roman in Romanzen, wie der Untertitel lautet, in dem er das Dekorative und das Monistische zu einer unlöslichen Einheit zu verbinden sucht. Jeder Abschnitt besteht hier aus 36 Gesängen, jeder Gesang aus 36 Zeilen. Die einzelnen Gedichte setzen sich aus einer Anfangssituation, einer Rede des Mannes und einer Rede des Weibes zusammen, während in den Schlußzeilen regelmäßig die Worte „Zwei Menschen" wiederkehren. Auf jeden Gesang, in dem zuerst der Mann spricht und dann das Weib respondiert, folgt einer, wo die Frau dieses scheinbar unendliche Zwiegespräch eröffnet. Im zweiten Teil beginnen alle Gedichte mit „Und". Gegen Ende des dritten Teils wechseln die Anfänge jeweils zwischen „Und" und „Doch". In der Mitte des Ganzen, das heißt zwischen dem 18. und 19. Gesang des zweiten Teils, befinden sich zwei Gedichte, in denen nur eine der beiden Personen spricht – und ähnliches mehr. Dieselbe Stilisierung zeigt sich im Sprachlichen. Fast auf jeder Seite trifft man auf verschlungene Assonanzen und Binnenreime wie „von dir in mich, von mir in dich", „Züngle, jüngle – Ringle, lauf", „schäumen schon – bäumen schon" oder „ich will, muß, willmuß fliegen". Dazu kommen die vielen Tanzmotive wie „um den Drehpunkt kreisen", „wiege, wiege mich du" oder „wirbeln im Tanz", zu denen sich Verben wie schlingen, winden, schwingen und schweben gesellen. Auch die Bildgebung wächst immer stärker in die Jugendstil-Atmosphäre hinein. An die Stelle großstädtischer Ballokale tritt hier in steigendem Maße eine „floral" gesehene Natur, wo sich Mann und Weib wie Adam und Eva in paradiesischer Schöpfungsfrühe begegnen, nackt am Strande liegen oder mit pathetisch-verzücktem Blick die Sonne anbeten. Es kommt daher immer wieder zu Szenen, in denen sie mit arkadischer Simplizität dem Frühlingssturm entgegeneilen, sich in die Höhe recken, tanzen oder Urlaute ausstoßen, um schließlich im allumfassenden Reigen des Weltalls unterzutauchen.

Eine ähnliche Naturbezogenheit findet sich in den Gedichten des mittleren Rilke, der sich nach den vagen Gefühlsschwelgereien seiner Frühzeit um 1900 für einige Jahre einer reigenhaften Stilisierungstendenz ergab[1]. Dafür sprechen vor allem seine metaphernhaft-verbrämten *Spiele* (1899) oder seine ebenso preziösen *Lieder der Mädchen*, die 1898 mit Illustrationen von Ludwig von Hofmann im *Pan* erschienen. Statt blasser Kantilenen, die im Ungewissen und Namenlosen verhauchen, herrscht hier das Schwesterlich-Verbundene, der gemeinsame Tanz junger Mädchen, deren luftige Kleider im Winde flattern. Überall wird das Knospende, Pflanzenhafte dieser zarten Geschöpfe betont, die wie im Blütenregen daherzuwandeln scheinen. Auch die jungen Liebespaare werden in diesen „floralen" Reigen einbezogen und versinken an „heiligen Weihern", auf denen stolze Schwäne ihre Bahnen ziehen, in märchenhafte Melusinenstimmungen, bis sie wunschlos „ineinander münden". Andere sind mehr ins Religiöse ausgeweitet, und doch vom selben Bewegungsgestus durchpulst, der sogar das Erlebnis der Unio mystica in eine jugendstilhafte „Gebärde" verwandelt:

Ein Händeineinanderlegen,
ein langer Kuß auf kühlen Mund,
und dann: auf schimmerweißen Wegen
durchwandern wir den Wiesengrund.

1. Entsprechende Gedichte aus der Jugendstil-Phase Rilkes – wie etwa *Das war der Tag der weißen Chrysanthemen*, *Einmal möcht ich dich wiederschauen*, *Ihr Mädchen seid wie die Kähne* und *Das sind die Stunden, da ich mich finde* (*Gesammelte Werke*, Leipzig 1927, Bd 1, S. 140, 189, 312, 347) – konnten in die vorliegende Anthologie nicht aufgenommen werden.

Durch leisen, weißen Blütenregen
schickt uns der Tag den ersten Kuß, –
mir ist: wir wandeln Gott entgegen,
der durchs Gebreite kommen muß.

Ähnlichen Versen begegnet man beim jungen Mombert, der in seiner Gedichtsammlung *Der Glühende* (1896) von Liebespaaren schwärmt, die in weißen Birkenwäldchen sitzen und mit tränenden Augen die duftenden Blütenseelchen zu ihren Füßen betrachten. Dieselbe Verliebtheit ins Blumige und Reigenhafte findet sich bei Emil Rudolf Weiß, Karl Schloß, Heinrich Vogeler, Felix Grafe, Julius Hart, Ludwig Jacobowski, Gustav Falke, Richard Schaukal, ja selbst bei Stefan George. Immer wieder handelt es sich um Motive wie Blumen, Schwäne, Weiher oder Park, in denen das Umzäunte oder inselhaft Abgeschlossene dieser Lyrik zum Ausdruck kommt. Man tritt in eine Zone ein, die sich von der „Forderung des Tages" sorgfältig abgeschlossen hat. Alles scheint nur in sich selbst zu existieren. Man fährt im Kahn, träumt unter Silberweiden, schwärmt von einem Wunderlande und wünscht sich schließlich, im Sinne einer rückläufigen Metamorphose im Vegetabilischen unterzutauchen. Eins der wichtigsten Symbole dieser monistischen Schwüle ist daher die Gestalt des Narziß, der über dem Betrachten seines eigenen Antlitzes alles übrige aus dem Auge verliert und von Aphrodite in eine Blume verwandelt wird.

Genau in der Mitte zwischen der floralen und der folgenden symbolischen Phase steht die Sammlung *Aus den Tagen des Knaben* (1904) von Ernst Hardt, in der von Wunderblumen, Wellendüften und Sehnsuchtsgluten die Rede ist, die einen wesentlich erleseneren Eindruck erwecken als die Bilder des mittleren Dehmel. Noch sakraler wirken die *Praeludien* (1904) von Ernst Stadler, obwohl auch er sich nicht von den „blumigen" Metaphern trennen kann. Was jedoch verschwindet, ist jener monistische Allreigen, der auf einer Verwandtschaft aller Wesen beruht. Statt dessen setzt er eine Welt aus Zypressen, Granatbäumen und Edelsteinen zusammen, die an die „künstlichen Paradiese“ Georges erinnert. Die neoimpressionistischen Tupfenreize des *Algabal* verwandeln sich dabei in züngelnde Linien und verschlungene Arabesken, wodurch alles Punktierte in ein schreitendes Bewegtsein aufgelöst wird. Immer wieder ersteht vor dem Auge des Lesers das Bild vom „Zug ins Leben“, vom reigenhaften Trunkensein mit nackten Leibern und bekränzten Haaren, wie man es von den Bildern von Ludwig von Hofmann kennt. Die Topoi der floralen Phase werden dabei zusehends ins Symbolische erweitert. So liest man von Traumgewässern, Silberkähnen, lüstern zitternden Lianen, Zauberhaaren, die sich wie ein aufgelöstes Bündel wilder Blumen über den Schläfer ergießen, Meergrundwundern in bläulichem Duft, schwebenden Schatten in smaragdenen Grüften, Märchenaugen, die sich wie Lilien zu dunklen Wassern neigen, oder einer Semiramis, die wie ein Vampir auf ambrageschwängerten Teppichen ruht. Alle diese ziellosen Schwingungen und Seelenarabesken, bei denen das Pflanzliche nur noch ein modischer Vorwand zu stilisierten Bildkomplexen ist, scheinen einem magischen Zug zu gehorchen und unbeschwert ineinanderzugleiten. Auf diese Weise entsteht eine Ornamentmelodie, die alle Klippen der Wirklichkeit sorgfältig vermeidet. Selbst die Liebe gleicht hier einem klanglosen Ineinandermünden, einem Ertrinken inmitten duftender Blumen, wobei die Stimmung entweder frühlingshaft-zart oder schwül-ermattend ist. Während sich zu nächtlicher Stunde „fiebernde Hände“ im „Geflecht traumdunkler Haare“ verirren, laufen bei Sonnenaufgang Daphnis-und-Chloe-Gestalten in „weißen Frühlingskleidern“ durch „knospenhelle Hecken“, bekränzen sich mit „Blütenkronen“ und geben sich „unter schwankender Birken Schatten“ ihren ersten Kuß.

Dieselbe Ambivalenz kommt in Stadlers Spiel *Freundinnen* (1903) zum Ausdruck, in dem er das Sirenenhafte und Lesbisch-Lockende zweier Mädchen beschreibt. Auch hier führt ein dekorativer Metaphernreigen zu einem panerotischen Linien- und Kurvenreichtum. So werden die flaumenweichen Glieder mit zitternden Frühlingsbirken verglichen, während sich die Strähnen der Haare wie ein „wildes Gerank" von den Schultern über die Brüste ergießen. Noch bewegter und verschlungener wird das Ganze, wenn sich Silvia und Bianca nach kostbaren Redefloskeln liebend aneinanderpressen, sich entflammen wie Bacchantinnen im Fackeltanz einer perversen Liebesnacht. Doch auch das löst sich wieder, wie alles in dieser Atmosphäre in ein willenloses Ermatten überzugehen scheint. Das Ergebnis dieser pseudoromantischen Zeitflucht ist daher trotz der wehenden Haare und lodernden Fackelbrände eine müde Melusinenstimmung, die den Leser mit märchenhaft einschläfernden Bildern zu umgaukeln versucht. Wohl das beste Beispiel dafür sind Georges *Stimmen im Strom*, wo sich alles menschliche Wollen in ein rhythmisch wiederkehrendes Wellenspiel aufzulösen beginnt:

> Müdet euch aber das sinnen das singen ·
> Fliessender freuden bedächtiger lauf ·
> Trifft euch ein kuss: und ihr löst euch in ringen
> Gleitet als wogen hinab und hinauf.

Damit geht ein Reigen zu Ende, der im Bereich des Faschingshaften anhebt, sich im Laufe der Jahre allmählich ins Monistische verklärt und schließlich ins Feierliche und Symbolische mündet. Formal gesehen, entspricht dieser Entwicklung eine Ausweitung ins Zyklische und zugleich eine wesentlich preziösere Sprachbehandlung, die alle naturalistisch-impressionistischen Restelemente weit hinter sich läßt. Wie in der bildenden Kunst wird dadurch die Beziehung zu den realen Gegebenheiten des Lebens immer stärker aufgegeben und eine Wunschwelt errichtet, deren Landschaft weitgehend aus geheimnisvollen Inseln und magisch verwunschenen Hainen und Weihern besteht. Hier geht man nicht, hier „schreitet" man. Hier fühlt man nicht, hier empfindet man ein „sehnsüchtiges Verlangen". Hier arbeitet man nicht, sondern lebt von seinen Renten, die Georg Simmel einmal als „Torhüter der Innerlichkeit" bezeichnet hat. Schließlich handelt es sich in diesen Jahren um eine Zeit der wirtschaftlichen Hochkonjunktur, die sich auch im Bereich des Ästhetischen einen ungewöhnlichen Luxus leisten konnte. Überall werden neue Zeitschriften gegründet oder neue Stile propagiert, als könne man auf dem Umweg über die Kunst auch einen neuen Lebensstil erreichen. Man will das Ideal – daran sollte man trotz aller manieristischen Verzerrungen nicht zweifeln –, sieht es aber eher im Idyll als in einer weltweiten Reform, wie sie den nachfolgenden Expressionisten vorschwebte. Thomas Mann hat daher diese Ära höchst zutreffend als die Zeit der „Sekurität" oder „machtgeschützten Innerlichkeit" hingestellt, was nebenher auch manches über den Jugendstil aussagt.

LITERATURHINWEISE

Zur bildenden Kunst oder zum Jugendstil allgemein

Behrendt, Walter Curt: Der Kampf um den Stil im Kunstgewerbe und in der Architektur. Stuttgart 1920.

Hamann, Richard: Die deutsche Malerei vom Rokoko bis zum Expressionismus. Leipzig 1925. S. 432 ff.

Michalski, Ernst: Die entwicklungsgeschichtliche Bedeutung des Jugendstils. In: Repertorium für Kunstwissenschaft 46 (1925) S. 133–149.

Hamann, Richard: Geschichte der Kunst. Berlin 1933. S. 854 ff.

Sternberger, Dolf: Jugendstil. Begriff und Physiognomie. In: Die neue Rundschau 45 (1934) S. 255–271.

Schmalenbach, Fritz: Jugendstil. Ein Beitrag zur Theorie und Geschichte der Flächenkunst. Würzburg 1935.

Pevsner, Nikolaus: Pioneers of the Modern Movement. London 1936. [Deutsch: Wegbereiter moderner Formgebung. Hamburg 1957. (rowohlts deutsche enzyklopädie 33.)]

Meyer, Peter: Umfang und Verdienste des Jugendstils. In: Das Werk 24 (1937) S. 134–140.

Ahlers-Hestermann, Friedrich: Stilwende. Aufbruch der Jugend um 1900. Berlin 1941, ^{2}1956.

Henze, Anton: Jugendstil. In: Das Kunstwerk III,6 (1949) S. 19 bis 21.

Lenning, Henry F.: The Art Nouveau. Den Haag 1951.

Tiemann, Walter: Der Jugendstil im deutschen Buch. In: Gutenberg-Jahrbuch 1951. S. 182–191.

Lancaster, Clay: Oriental Contributions to Art Nouveau. In: Art Bulletin 34 (1952) S. 297–310.

Lanckorónska, Gräfin Maria: Das Jugendstil-Ornament in der deutschen Buchkunst. In: Stultifera Navis IX,1 (1952) S. 4–18.

Schmidt-Künsemüller, Friedrich Adolf: William Morris und die neuere Buchkunst. Wiesbaden 1955. (Beiträge zum Buch- und Bibliothekswesen 4.)

Madsen, Stephan Tschudi: Sources of Art Nouveau. New York/Oslo 1956.

Fischer, Wend: Bau – Raum – Gerät. München 1957. S. 38 ff.

Rathke, Ewald: Jugendstil. Mannheim 1958.

Riegger-Baurmann, Roswitha: Schrift im Jugendstil. In: Börsenblatt für den deutschen Buchhandel (Frankfurt) 31a (April 1958) S. 483–545.

Dingelstedt, Kurt: Jugendstil in der angewandten Kunst. Ein Brevier. Braunschweig 1959.

Seling, Helmut (Hrsg.): Jugendstil. Der Weg ins 20. Jahrhundert. Heidelberg 1959.

Selz, Peter / Constantine, Mildred (Hrsg.): Art Nouveau. Art and Design at the Turn of the Century. New York 1959.

Kramer, Hilton: The Erotic Style. In: Arts (September 1960) S. 22–26.

Cassou, Jean / Langui, Emil / Pevsner, Nikolaus: Durchbruch zum 20. Jahrhundert. Kunst und Kultur der Jahrhundertwende. München 1962.

Schmutzler, Robert: Art Nouveau – Jugendstil. Stuttgart 1962.

Zeller, Bernhard (Hrsg.): Wende der Buchkunst. Stuttgart 1962.

Hofstätter, Hans H.: Geschichte der europäischen Jugendstilmalerei. Ein Entwurf. Köln 1963.

Hermand, Jost: Jugendstil. Ein Forschungsbericht (1918–1962). In: Deutsche Vierteljahrsschrift für Literaturwissenschaft und Geistesgeschichte 38 (1964) S. 70–110, 273–315.

Guerrand, Roger-H.: L'Art Nouveau en Europe. Paris 1965.

Rheims, Maurice: Kunst um 1900. Wien 1965.

Cremona, Italo: Die Zeit des Jugendstils. München 1966.

Hamann, Richard / Hermand, Jost: Stilkunst um 1900. Berlin 1967.

Barilli, Renato: Art Nouveau. London 1969.

Koreska-Hartmann, Linda: Jugendstil – Stil der ›Jugend‹. München 1969.

Mattenklott, Gert: Bilderdienst. Ästhetische Opposition bei Beardsley und George. München 1970.

Hermand, Jost (Hrsg.): Jugendstil. Darmstadt 1971.

Hajek, Edelgard: Literarischer Jugendstil. Vergleichende Studien zur Dichtung und Malerei um 1900. Düsseldorf 1971.

Glaser, Hermann (Hrsg.): Jugend-Stil – Stil der Jugend. München 1971.

Hermand, Jost: Der Schein des schönen Lebens. Studien zur Jahrhundertwende. Frankfurt 1972.

Zürcher, Hanspeter: Stilles Wasser. Narziß und Ophelia in der Dichtung und Malerei um 1900. Bonn 1975.

Simon, Hans-Ulrich: Sezessionismus. Kunstgewerbe in literarischer und bildender Kunst. Stuttgart 1976.

Zur Literatur des Jugendstils

Martini, Fritz: Das Wagnis der Sprache. Stuttgart 1954. S. 529 ff.

Benjamin, Walter: Rückblick auf Stefan George. In: W. B.: Schriften. Bd. 2. Frankfurt 1955. S. 323–330.

Klein, Elisabeth: Jugendstil in der deutschen Lyrik. Diss. Köln 1957 [masch.].

Klotz, Volker: Jugendstil in der Lyrik. In: Akzente 4 (1957) S. 26–34.

Willecke, Frederick H.: The Style and Form of Hermann Hesse's Gaienhofer Novellen. Diss. New York 1960 [masch.].

Friedmann, Hermann / Mann, Otto (Hrsg.): Deutsche Literatur im 20. Jahrhundert. Heidelberg [4]1961. S. 27 ff.

Hermand, Jost: Die Ur-Frühe. Zum Prozeß des mythischen ‚Bilderns' bei Mombert. In: Monatshefte (Wisconsin) 53 (1961) S. 105–114.

Herzog, Bert: Der Gott des Jugendstils in Rilkes ‚Stundenbuch'. In: Schweizer Rundschau 60 (1961) Nr. 2, S. 1237–41.

Mautz, Kurt: Mythologie und Gesellschaft im Expressionismus. Die Dichtung Georg Heyms. Frankfurt/Bonn 1961.

Soergel, Albert / Hohoff, Curt: Dichtung und Dichter der Zeit. Bd. 1. Düsseldorf 1961. S. 270, 290, 404, 610 u. a.

David, Claude: Stefan George und der Jugendstil. In: Formkräfte der deutschen Dichtung. Göttingen 1963. S. 211–228.

Rasch, Wolfdietrich: Zur deutschen Literatur seit der Jahrhundertwende. Stuttgart 1967.

Rothe, Friedrich: Frank Wedekinds Dramen. Jugendstil und Lebensphilosophie. Stuttgart 1968.

Fritz, Horst: Literarischer Jugendstil und Expressionismus. Zur Kunsttheorie, Dichtung und Wirkung Richard Dehmels. Stuttgart 1969.

Jost, Dominik: Literarischer Jugendstil. Stuttgart 1969.

Ruprecht, Erich / Bänsch, Dieter: Literarische Manifeste der Jahrhundertwende. Stuttgart 1970.

Dencker, Klaus Peter: Literarischer Jugendstil im Drama. Studien zu Felix Braun. Wien 1971.

Thomalla, Ariane: Die ‚femme fragile'. Ein literarischer Frauentypus der Jahrhundertwende. Düsseldorf 1972.

Sennewald, Michael: Hanns Heinz Ewers. Phantastik und Jugendstil. Meisenheim 1973.

Winkler, Michael (Hrsg.): Einakter und kleine Dramen des Jugendstils. Stuttgart 1974. (Reclams Universal-Bibliothek 9720 [3].)

AUTORENVERZEICHNIS

(An Werken werden nur solche angeführt, die entweder ganz oder teilweise vom Jugendstil beeinflußt sind.)

BIERBAUM, OTTO JULIUS (Grünberg 28. 6. 1865 – Dresden 1. 2. 1910). Gründer und Mitherausgeber vieler Zeitschriften (Freie Bühne, Pan, Insel, Moderner Musenalmanach, Goethe-Kalender usw.). Bohemientyp und Initiator der Überbrettl-Bewegung. Mitarbeit am Münchener Kabarett „Die elf Scharfrichter". Werke: *Lobetanz* (1895) Singspiel; *Der bunte Vogel* (1896 und 1898) Kalenderbücher; *Gugeline* (1899) Singspiel; *Pan im Busch* (1900) Ballett; *Irrgarten der Liebe* (1901) Gedichte; *Deutsche Chansons* (Hrsg., 1901); *Das seidene Buch* (1903) Damenalmanach; *Maultrommel und Flöte* (1907) Gedichte; *Gesammelte Werke in 10 Bänden* (1912-17).

BODMAN, EMANUEL VON (Friedrichshafen 23. 1. 1874 – Gottlieben, Thurgau 21. 5. 1946). Formkünstler, der „neuklassischen" Richtung um Paul Ernst nahestehend. Werke: *Neue Lieder* (1902); *Der Wandrer und der Weg* (1907) Gedichte; *Die heimliche Krone* (1909) Tragödie; *Die gesamten Werke in 10 Bänden* (1960).

DEHMEL, RICHARD (Wendisch-Hermsdorf 18. 11. 1863 – Blankenese 8. 2. 1920). Seit 1895 freier Schriftsteller. Wandte sich nach naturalistischen Anfängen immer stärker einem von Nietzsche beeinflußten Vitalismus zu, den er mit einer monistischen Mythologie verbrämte, die deutlich an den Jugendstil gemahnt. Werke: *Erlösungen* (1891) Gedichte; *Aber die Liebe* (1893) Gedichte; *Weib und Welt* (1896) Gedichte; *Lucifer* (1899) Drama; *Zwei Menschen* (1903) Gedichtzyklus; *Die Verwandlungen der Venus* (1907) Gedichtzyklus; *Gesammelte Werke in 10 Bänden* (1906-09).

ETZEL, THEODOR (Gelnhausen bei Kassel 9. 1. 1873 – Bad Aibling 22. 9. 1930). Journalist und freier Schriftsteller. Rege Herausgebertätigkeit (Das moderne Brettl, Fröhliche Kunst, Lese, Die lustigen Blätter usw.). Werke: *Tage des Lebens* (1904) Lyrische Dichtung.

FINCKH, LUDWIG (Reutlingen 21. 3. 1876 – Gaienhofen am Bodensee 8. 3. 1964). Seit 1905 Arzt und Schriftsteller in Gaienhofen. Wandte sich früh vom Jugendstil ab und bevorzugte später heimatliche Themen. Werke: *Fraue du, du Süße* (1900) Gedichte; *Rosen* (1906) Gedichte.

GEORGE, STEFAN (Büdesheim 12. 7. 1868 – Locarno 4. 12. 1933). Begann mit der Zeitschrift „Blätter für die Kunst" (1892-1919) einen unerbittlichen Kampf gegen die Formlosigkeit des Naturalismus und alle „außerkünstlerischen" Beimischungen. Scharte schnell eine Gruppe bedeutender Dichter und Gelehrter um sich (Wolfskehl, Klages, Gundolf, Hofmannsthal, Kommerell u. a.). Seine Gedichtbände zeugen trotz ihrer eigenwilligen Note von allen Phasen der Stilbewegung um 1900, vom Neoimpressionismus über den Symbolismus und Jugendstil bis zu einer neuen Monumentalität, der ein selbstgeschaffener Mythos zugrunde liegt. Werke: *Algabal* (1892) Gedichte; *Die Bücher der Hirten- und Preisgedichte, der Sagen und Sänge und der hängenden Gärten* (1895) Gedichte; *Das Jahr der Seele* (1897) Gedichte; *Der Teppich des Lebens* (1900) Gedichte; *Der siebente Ring* (1907) Gedichte; *Gesamt-Ausgabe der Werke* (1927 ff.); *Werke. Ausgabe in zwei Bänden* (1958).

GRAFE, FELIX (Wien 9. 7. 1888 – Wien 18. 12. 1942). Bankangestellter und Zeitschriftenherausgeber (Der Anbruch). Reiner Lyriker, auch als Übersetzer bekannt (Verlaine, Baudelaire, Wilde, Jammes u. a.). Werke: *Idris* (1910) Gedichte; *Dichtungen* (1961).

GRUN, JAMES (London 9. 11. 1868 – London 21. 11. 1928). Englische und deutsche Gedichte. Freund von Hans Pfitzner, mit dem zusammen er unter anderem das Libretto zum *Armen Heinrich* (1895) und zur *Rose vom Liebesgarten* (1901) verfaßte.

Hardt, Ernst (Graudenz 9. 5. 1876 – Ichenhausen bei Augsburg 3. 1. 1947). Kritiker und freier Schriftsteller. In den zwanziger Jahren Intendant des Deutschen Nationaltheaters in Weimar. Werke: *Aus den Tagen des Knaben* (1904) Gedichte; *An den Toren des Lebens* (1904) Novelle; *Tantris der Narr* (1907) Drama.

Hart, Julius (Münster 9. 4. 1859 – Berlin 7. 7. 1930). Journalist, Zeitschriftenherausgeber und Gründer der „Neuen Gemeinschaft". Begann als naturalistischer Literaturkritiker und entwickelte sich nach einer kurzen Jugendstil-Phase zu einem monistischen Gottsucher. Werke: *Triumph des Lebens* (1898) Gedichte; *Stimmen in der Nacht* (1898) Prosa-Visionen.

Herrmann, Emil Alfred (Baden-Baden 17. 3. 1871 – Heidelberg 23. 4. 1957). In seinen Jugendstil-Gedichten stark von Arno Holz abhängig. Schrieb später hauptsächlich Märchen- und Legendenspiele. Werke: *Lieder* (1902).

Heym, Georg (Hirschberg in Schlesien 30. 10. 1887 – Berlin 16. 1. 1912). Jurastudent. Tod beim Eislauf in der Havel. Einflüsse des Jugendstils nur in seinen frühesten Gedichten, die schnell einem radikalen, wenn auch formgebundenen Expressionismus weichen. Werke: *Atalanta* (1911) Tragödie; *Der ewige Tag* (1911) Gedichte; *Dichtungen und Schriften in 4 Bänden* (1960 ff.).

Heymel, Alfred Walter (Dresden 6. 3. 1878 – Berlin 26. 11. 1914). Mäzen und Mitbegründer der „Insel". Werke: *In der Frühe* (1898) Gedichte; *Ritter Ungestüm* (1900) Erzählung; *Der Tod des Narcissus* (1901) Dramatisches Gedicht; *Zeiten* (1907-10) Ausgewählte Gedichte.

Holz, Arno (Rastenburg in Ostpreußen 26. 4. 1863 – Berlin 26. 10. 1929). Freier Schriftsteller und einflußreicher Theoretiker des Naturalismus, der sich in seinen späteren Werken den unterschiedlichsten Stileinflüssen öffnete. Wichtig für den Jugendstil wurde sein Mittelachsenprinzip, das sich schnell aus einem Ausdrucksmittel des impressionistischen Sekundenstils zu einem reinen Dekorationsgefüge entwikkelte. Werke: *Phantasus* (1898/99) Gedichte; *Werke* (1962 ff.).

Jacobowski, Ludwig (Strelno bei Posen 21. 1. 1868 – Berlin 2. 12. 1900). Journalist. Vom Naturalismus herkommend. Gegen Ende der neunziger Jahre Wendung zu einem monistischen Stimmungslyrismus. Werke: *Aus Tag und Traum* (1896) Gedichte; *Leuchtende Tage* (1899) Gedichte; *Vorfrühling* (1900) Erzählung; *Ausklang* (1901) Gedichte; *Vom dunkeln und vom lichten Leben* (1911) Gedichtauswahl.

Mombert, Alfred (Karlsruhe 6. 2. 1872 – Winterthur 8. 4. 1942). Jurist, später freier Schriftsteller. Lebte vorwiegend in Heidelberg. Entwickelte sich stilistisch aus dem Jugendstil immer stärker zu einem kosmischen Symbolismus und Expressionismus. Werke: *Der Glühende* (1896) Gedichte; *Die Schöpfung* (1897) Gedichte; *Der Denker* (1901) Gedichte; *Die Blüte des Chaos* (1905) Gedichte; *Der Sonne-Geist* (1905) Gedichte; *Aeon, der Welt-Gesuchte* (1907) Drama; *Der himmlische Zecher* (1909) Gedichtauswahl; *Dichtungen* (1963) Gesamtausgabe.

Morgenstern, Christian (München 6. 5. 1871 – Meran 31. 3. 1914). Freier Schriftsteller. Nach einer symbolistischen Phase unter dem Einfluß Nietzsches und Dehmels Wendung ins Parodistische. In seinen letzten Jahren Anhänger der „Theosophischen Gesellschaft“ Rudolf Steiners. Werke: *In Phantas Schloß* (1895) Gedichte; *Auf vielen Wegen* (1897) Gedichte.

Perzynski, Friedrich. Vereinzelte Beiträge in der „Insel“.

Rilke, Rainer Maria (Prag 4. 12. 1875 – Val-Mont bei Montreux 29. 12. 1926). Weite Reisen (Rußland, Spanien, Italien, Ägypten, Schweden). Enge Beziehungen zur Künstlerkolonie in Worpswede. 1901 Ehe mit Clara Westhoff. Von 1902 bis 1914 hauptsächlich in Paris. Zeitweilig Sekretär des Bildhauers Rodin. Unter seinem Einfluß Wendung zu einer stärkeren Werkbetontheit und damit Abschied von der dekorativen Manier des Jugendstils und dem Stimmungslyrismus seiner *Stundenbuch*-Phase. Werke: *Traumgekrönt* (1897) Gedichte; *Advent* (1898) Gedichte; *Mir zur Feier* (1899) Gedichte; *Das Buch der Bilder* (1902) Gedichte; *Worpswede* (1903) Künstlermonographie; *Das Stunden-Buch* (1905); *Die Weise von Liebe und Tod des Cornets Christoph Rilke* (1906) Erzählung; *Gesammelte Werke* (1927); *Sämtliche Werke* (1955 ff.). – Siehe Anm. S. 71.

Schaukal, Richard (Brünn 27. 5. 1874 – Wien 10. 10. 1942). Hoher österreichischer Beamter. Nach impressionistischen und jugendstilhaften Anfängen ab 1910 stärkeres Bemühen um Schlichtheit in Ton und Aussage. Werke: *Tage und Träume* (1899) Gedichte; *Sehnsucht* (1900) Gedichte; *Interieurs aus dem Leben der Zwanzigjährigen* (1901) Prosaskizzen; *Von Tod zu Tod* (1902) Erzählungen; *Ausgewählte Gedichte* (1904); *Eros Thanatos* (1906) Erzählungen; *Leben und Meinungen des Herrn Andreas von Balthesser* (1907) Kurzroman.

Schloss, Karl. Vereinzelte Beiträge in der „Insel“.

Schröder, Rudolf Alexander (Bremen 26. 1. 1878 – Bad Wiessee 22. 8. 1962). Mitbegründer der „Insel“. Anfänglich Innenarchitekt, später freier Schriftsteller und Übersetzer (Homer, Horaz, Vergil u. a.). In seinen eigenen Dichtungen nach Jugendstil-Anfängen entschiedene Wendung zu christlich-humanistischer Tradition. Werke: *An Belinde* (1902)

Gedichte; *Sonette zum Andenken an eine Verstorbene* (1904); *Elysium* (1906) Gedichte; *Gesammelte Werke in 6 Bänden* (1952-58).

STADLER, ERNST (Colmar im Elsaß 11. 8. 1883 – Zandvoorde bei Ypern 30. 10. 1914). Von 1910 bis 1914 Dozent für deutsche Literatur in Brüssel. Nach typischen Jugendstil-Anfängen in seiner Gedichtsammlung *Der Aufbruch* (1914) Wegbereiter des Expressionismus. Werke: *Präludien* (1905) Gedichte; *Dichtungen in 2 Bänden* (1954).

STUCKEN, EDUARD (Moskau 18. 3. 1865 – Berlin 9. 3. 1936). Freier Schriftsteller. In seinen Anfängen präraffaelitisch, symbolistisch und jugendstilhaft. Später mehr einem farbenprächtigen Exotismus zuneigend. Werke: *Balladen* (1898); *Gawân* (1902) Mysterienspiel; *Myrrha* (1908) Drama; *Lanzelot* (1909) Drama; *Romanzen und Elegien* (1911).

TRAKL, GEORG (Salzburg 3. 2. 1887 – Krakau 4. 11. 1914). Militärapotheker. Tod wahrscheinlich durch Selbstmord im Frontlazarett. Jugendstil-Elemente nur in seinen frühesten Gedichten, die unter dem Einfluß Hofmannsthals und der französischen Symbolisten stehen. Werke: *Aus goldenem Kelch* (1939) Jugendgedichte aus dem Nachlaß; *Gesamtausgabe in 3 Bänden* (1948-51).

VOGELER, HEINRICH (Bremen 15. 12. 1872 – Karaganda in Rußland Mai 1942). Maler und Graphiker. Lebte bis zu seiner Übersiedlung nach Rußland in Worpswede. Als Illustrator an vielen Jugendstil-Publikationen beteiligt (Jugend, Insel u. a.). Auch sein einziger Gedichtband *Dir* (1899) erschien mit eigenem Buchschmuck.

WEIGAND, WILHELM (Gissigheim in Baden 13. 3. 1862 – München 20. 12. 1949). Nur kurze Jugendstil-Phase um 1900 (Gedichtzyklen wie *Primavera, Kentauren-Sonntag* u. a.). Werke: *Gedichte* (1904); *Der verschlossene Garten* (1909) Gedichte.

Weiss, Emil Rudolf (Lahr 12. 10. 1875 – Meersburg am Bodensee 7. 11. 1942). Als Maler und Graphiker an der künstlerischen Ausgestaltung vieler Jugendstil-Publikationen beteiligt (Pan, Insel, Neue Rundschau, Bücher des S. Fischer Verlages, des Eugen Diederichs Verlages u. a.). Seine frühen Dichtungen zeigen ihn völlig unter dem Einfluß von Jugendstil und symbolistischer Décadence. Werke: *Die blassen Cantilenen* (1896) Prosagedichte; *Elisabeth Eleanor* (1896) Erzählung.

INHALTS- UND QUELLENVERZEICHNIS

Der große Pan

Monistisches Verwobensein

Frühlingsgefühle

Blütenzauber

Weiher und Kahn

Schwäne

Das Wunder des Leibes

Künstliche Paradiese

Zum literarischen Jugendstil

IN RECLAMS UNIVERSAL-BIBLIOTHEK

Lyrik des Jugendstils. Hrsg. von Jost Hermand. 8928

Einakter und kleine Dramen des Jugendstils. Hrsg. von Michael Winkler. 9720 [3]

Prosa des Jugendstils. Hrsg. von Jürg Mathes. 50 Abb. 7820 [5]

Theorie des literarischen Jugendstils. Hrsg. von Jürg Mathes (in Vorb. für 1983)

Die Wiener Moderne. Literatur, Kunst und Musik zwischen 1890 und 1910. Hrsg. v. Gotthart Wunberg unter Mitarbeit von Johannes J. Braakenburg. 25 Abb. 7742 [9]

Die deutsche Literatur. Ein Abriß in Text und Darstellung. Band 13: Impressionismus, Symbolismus und Jugendstil. Hrsg. von Ulrich Karthaus. 9649 [4]

Einzeltexte von Peter Altenberg, Richard Beer-Hofmann, Max Dauthendey, Stefan George, Peter Hille, Hugo von Hofmannsthal, Heinrich Mann, Thomas Mann, Arthur Schnitzler, Robert Walser

Geschichte der deutschen Literatur. Band 5: Vom Jugendstil zum Expressionismus. Von Herbert Lehnert. 80 Abb. 1100 Seiten. Leinen

---

Philipp Reclam jun. Stuttgart